강력한 서울과기대 자연계
수리논술 기출문제

저자 소개

저자 김근현은 현재 탁트인 교육, 일으킨 바람, 에듀코어 대표이다.
前 메가스터디 온라인에서 대입 논술과 면접, 자기소개서, 학생부종합 등 다양한 동영상 강의를 하였다.
현재는 학습 프로그램 개발 및 연구 활동을 통해 교육의 발전을 고민하고 있다.
홍익대학교에서 전자전기공학부를 졸업하고 동대학원에서 전자공학 석사(반도체 레이저)를 전공하였다. 또한 연세대학교 교육경영최고위자 과정을 마쳤으며 연세대학교 교육대학원에서 평생교육 경영을 공부하고 있다.

강력한 서울과기대 자연계 수리논술 기출문제

발   행 | 2024년 05월20일
저   자 | 김근현
펴낸이 | 김근현
펴낸곳 | 일으킨 바람
출판사등록 | 2018.11.12.(제2018-000186호)
주   소 | 경기도 고양시 일산서구 하이파크 3로 61 409동 1503호
전   화 | 031-713-7925
이메일 | illeukinbaram@gmail.com

ISBN | 979-11-93208-47-2

www.iluekinbaram.com

강력한 서울과기대

자연계 수리논술

기출문제

김 근 현 지음

차례

I. 서울과학기술대학교 논술 전형 분석

1. 논술 전형 분석

1) 전형 요소별 반영 비율

전형요소	논술	학생부교과	총합
논술고사	70% (최고점 : 700점, 최저점 : 0점)	30% (최고점 : 300점, 최저점 : 0점)	100% (1000점)

2) 학생부 교과 반영

30%

(ㄱ)   반영교과 및 반영비율

- 자연계열 : 국어, 수학, 영어, 과학 반영
- 건축학부 건축학전공 : 국어, 수학, 영어, 사회, 한국사

대 상	인정범위
졸업(예정)자	1학년 1학기 ～ 3학년 1학기

(ㄴ)   공통과목 및 일반선택과목

구분	등급	1등급	2등급	3등급	4등급	5등급	6등급	7등급	8등급	9등급
변환점수		1000	990	980	970	960	800	500	250	0

(ㄷ)   진로선택과목

- 반영교과에 해당하는 전 과목의 성취도를 등급으로 변환하여 반영

성취도	A	B	C
석차등급	1	3	5
변환점수	1000	980	960

(ㄹ)   변환 점수 평균

$$변환\,점수\,평균 = \frac{\sum(반영\,교과목\,석차등급\,성취도\,변환점수 \times 이수단위)}{\sum(이수단위)}$$

(ㅁ)   학생부 반영 점수

$$학생부\,반영\,점수 = 변환점수\,평균 \times \frac{학생부\,교과\,반영총점}{1000}$$

(ㅂ)   30% 적용시 학생부 교과 반영 점수

구분	등급	1등급	2등급	3등급	4등급	5등급	6등급	7등급	8등급	9등급
30%		300	295	290	280	270	260	220	170	0

3) 수능 최저학력 기준

없음

4) 논술 전형 결과

(ㄱ) 2023학년도 논술 전형 결과

고사일시	모집단위	모집인원	지원인원	경쟁률	논술점수	내신평균	결시인원	응시율
11/21 오전	기계시스템디자인공학과	28	909	32.5	91.9	4.27	178	80.4
	기계·자동차공학과	26	804	30.9	91.9	4.33	180	77.6
	안전공학과	8	236	29.5	87.0	4.15	46	80.4
	신소재공학과	11	452	41.1	95.4	3.93	117	74.1
	건설시스템공학과	16	471	29.4	86.3	3.83	83	82.4
	건축학부(건축공학전공)	9	242	26.9	85.6	4.60	54	77.7
	건축학부(건축학전공)_자연	5	206	41.2	90.1	3.79	56	72.8
	산업공학과-ITM전공	3	81	27.0	78.0	4.26	27	66.7
	MSDE학과	5	139	27.8	91.0	4.12	45	67.6
오전 소계		111	3540	31.9	90.0	4.18	786	77.8
11/21 오후	전기정보공학과	17	656	38.6	87.8	3.84	136	79.3
	전자공학과	12	531	44.3	92.3	3.85	130	75.5
	스마트ICT융합공학과	7	325	46.4	92.4	4.43	67	79.4
	컴퓨터공학과	9	808	89.8	96.2	3.79	213	73.6
	화공생명공학과	9	478	53.1	91.4	3.79	114	76.2
	환경공학과	5	182	36.4	90.3	4.10	44	75.8
	식품공학과	5	186	37.2	77.4	4.35	39	79.0
	정밀화학과	5	157	31.4	87.6	3.66	18	88.5
	안경광학과	5	134	26.8	78.3	4.61	25	81.3
	산업공학과-산업정보시스템전공	5	165	33.0	90.2	3.81	42	74.5
오후 소계		79	3622	45.8	89.3	3.96	828	77.1
전체		190	7162	37.7	89.7	4.09	1614	77.5

모집단위	모집인원	지원인원	경쟁률	추가합격인원	추가합격률	최종등록	등록률
기계시스템디자인공학과	28	909	32.5	11	39.3	28	100.0
기계·자동차공학과	26	804	30.9	4	15.4	26	100.0
안전공학과	8	236	29.5	-	`	8	100.0
신소재공학과	11	452	41.1	7	63.6	10	90.9
건설시스템공학과	16	471	29.4	10	62.5	16	100.0
건축학부 (건축공학전공)	9	242	26.9	4	44.4	9	100.0
건축학부 (건축학전공) 자연	5	206	41.2	5	100.0	5	100.0
전기정보공학과	17	656	38.6	8	47.1	17	100.0
전자공학과	12	531	44.3	6	50.0	12	100.0
스마트 ICT 융합공학과	7	325	46.4	-	-	7	100.0
컴퓨터공학과	9	808	89.8	3	33.3	9	100.0
화공생명공학과	9	478	53.1	6	66.7	9	100.0
환경공학과	5	182	36.4	-	-	5	100.0
식품공학과	5	186	37.2	1	20.0	5	100.0
정밀화학과	5	157	31.4	3	60.0	5	100.0
안경광학과	5	134	26.8	3	60.0	5	100.0
산업공학과-산업 정보시스템 전공	5	165	33.0	1	20.0	5	100.0
산업공학과-ITM 전공	3	81	27.0	1	33.3	3	100.0
MSDE 학과	5	139	27.8	-	-	5	100.0
전체	190	7162	37.7	73	38.4	189	99.5

(ㄴ)　2022학년도 논술 전형 결과

고사 일시	모집단위	모집 인원	지원 인원	경쟁률	논술 점수	내신 평균	결시 인원	응시율
11/22 오전	기계시스템디자인공학과	30	749	25.0	88.3	4.34	167	77.7
	기계·자동차공학과	27	659	24.4	89.0	4.22	162	75.3
	건축학부(건축학전공)_자연	5	180	36.0	93.6	3.92	47	73.7
11/22 오후	건축학부(건축공학전공)	11	229	20.8	86.9	4.34	44	80.7
	전기정보공학과	21	671	32.0	95.9	4.27	155	76.9
	전자IT미디어공학과	22	816	37.1	93.0	4.21	176	78.4
11/23 오전	안전공학과	9	165	18.3	78.1	4.41	29	82.4
	신소재공학과	13	440	33.8	91.3	4.00	121	72.5
	건설시스템공학과	17	355	20.9	80.9	4.33	73	79.4
	컴퓨터공학과	10	717	71.7	93.4	3.69	188	73.8
11/23 오후	화공생명공학과	10	440	44.0	94.5	3.54	118	73.2
	환경공학과(환경공학전공)	3	65	21.7	86.0	4.14	14	78.5
	환경공학과(환경정책전공)_자연	2	40	20.0	79.5	5.18	11	72.5
	식품공학과	6	166	27.7	89.7	3.72	30	81.9
	정밀화학과	7	153	21.9	88.0	3.84	26	83.0
	안경광학과	7	112	16.0	88.3	4.05	24	78.6
	산업공학과-산업정보시스템전공	8	212	26.5	87.1	4.94	46	78.3
	산업공학과-ITM전공	3	70	23.3	92.3	3.64	18	74.3
	MSDE학과	6	176	29.3	97.2	3.58	46	73.9
전체		217	6415	29.6	89.1	4.16	1495	76.7

모집단위	모집인원	지원인원	경쟁률	추합인원	추가합격률	최종등록	등록률
기계시스템디자인공학과	30	749	25.0	9	30.0	30	100.0
기계 ·자동차공학과	27	659	24.4	10	37.0	27	100.0
안전공학과	9	165	18.3	2	22.2	9	100.0
신소재공학과	13	440	33.8	4	30.8	13	100.0
건설시스템공학과	17	355	20.9	5	29.4	17	100.0
건축학부 (건축공학전공)	11	229	20.8	5	45.5	11	100.0
건축학부 (건축학전공) 자연	5	180	36.0	1	20.0	5	100.0
전기정보공학과	21	671	32.0	2	9.5	21	100.0
전자 IT 미디어공학과	22	816	37.1	9	40.9	22	100.0
컴퓨터공학과	10	717	71.7	5	50.0	10	100.0
화공생명공학과	10	440	44.0	4	40.0	10	100.0
환경공학과 (환경공학전공)	3	65	21.7	-	0.0	3	100.0
환경공학과 (환경정책전공) 자연	2	40	20.0	1	50.0	2	100.0
식품공학과	6	166	27.7	1	16.7	6	100.0
정밀화학과	7	153	21.9	1	14.3	7	100.0
안경광학과	7	112	16.0	3	42.9	7	100.0
산업공학과-산업 정보시스템전공	8	212	26.5	4	50.0	8	100.0
산업공학과-ITM 전공	3	70	23.3	-	0.0	3	100.0
MSDE 학과	6	176	29.3	-	0.0	6	100.0
전체	217	6415	29.6	66	30.4	217	100

(ㄷ)   2021학년도 논술 전형 결과

고사 일시	모집단위	모집 인원	지원 인원	경쟁률	논술 점수	내신 평균	결시 인원	응시율
12/7 오전	건축학부(건축학전공)_자연	6	185	30.8	66.8	3.73	44	76.2
	전기정보공학과	23	738	32.1	68.6	3.83	144	80.5
	전자IT미디어공학과	24	879	36.6	71.5	3.95	159	81.9
	컴퓨터공학과	10	631	63.1	70.6	3.93	158	75.0
12/7 오후	기계시스템디자인공학과	31	848	27.4	72.1	4.11	138	83.7
	기계·자동차공학과	28	751	26.8	75.4	3.71	166	77.9
	안전공학과	10	235	23.5	66.5	4.11	40	83.0
12/8 오전	화공생명공학과	11	584	53.1	80.3	3.90	162	72.3
	환경공학과(환경공학전공)	4	96	24.0	71.2	4.22	17	82.3
	환경공학과(환경정책전공)_자연	3	76	25.3	65.0	3.52	19	75.0
	식품공학과	8	242	30.3	68.5	3.97	46	81.0
	정밀화학과	8	190	23.8	73.9	4.26	28	85.3
	건설시스템공학과	20	488	24.4	78.4	4.74	89	81.8
	건축학부(건축공학전공)	11	228	20.7	80.0	4.64	42	81.6
12/8 오후	신소재공학과	14	472	33.7	79.4	4.10	98	79.2
	안경광학과	7	136	19.4	65.6	4.14	25	81.6
	산업공학과-산업정보시스템전공	9	233	25.9	61.9	4.36	45	80.7
	산업공학과-ITM전공	4	97	24.3	72.7	4.63	22	77.3
	MSDE학과	7	180	25.7	73.3	4.32	43	76.1
	인공지능응용학과	7	291	41.6	84.8	3.70	58	80.1
전체		269	8455	31.4	74.1	4.07	1698	79.9

※ 유의사항
1. 최종등록자 기준 100% 평균값 산출
2. 각 고사일별 오전-오후 시험문제는 서로 다른 문항이므로 단순비교는 불가능
3. 논술점수는 100점 만점 기준으로 환산

모집단위	모집 인원	지원 인원	경쟁률	추합 인원	추합률	최종 등록	등록률
기계시스템디자인공학과	31	848	27.4	10	32.3	31	100
기계 •자동차공학과	28	751	26.8	11	39.3	28	100
안전공학과	10	235	23.5	8	80.0	10	100
신소재공학과	14	472	33.7	4	28.6	14	100
건설시스템공학과	20	488	24.4	5	25.0	20	100
건축학부(건축공학전공)	11	228	20.7	1	9.1	11	100
건축학부(건축학전공) 자연	6	185	30.8	4	66.7	6	100
전기정보공학과	23	738	32.1	11	47.8	22	95.7
전자 IT 미디어공학과	24	879	36.6	6	25.0	24	100
컴퓨터공학과	10	631	63.1	4	40.0	10	100
화공생명공학과	11	584	53.1	5	45.5	11	100
환경공학과(환경공학전공)	4	96	24.0	1	25.0	4	100
환경 공학과(환경정책전공) 자연	3	76	25.3		0.0	3	100
식품공학과	8	242	30.3	9	112.5	8	100
정밀화학과	8	190	23.8	2	25.0	8	100
안경광학과	7	136	19.4	1	14.3	7	100
산업공학과 산업정보시스템전공	9	233	25.9	4	44.4	9	100
산업공학과-ITM전공	4	97	24.3		0.0	4	100
MSDE학과	7	180	25.7	2	28.6	7	100
인공지능응용학과	7	291	41.6	2	28.6	7	100
전체	269	8455	31.4	94	35	268	100

1. 최종등록자 기준 100% 평균값 산출
2. 각 고사일별 오전-오후 시험문제는 서로 다른 문항이므로 단순비교는 불가능
3. 논술점수는 100점 만점 기준으로 환산
4. 응시율: 응시인원 / 논술고사 대상인원(논술지원자 - 서류 미제출 등 사정제외자) * 100

2. 논술 분석

구분	자연계열
출제 근거	고교 교육과정 내 출제
출제 범위	2024학년도부터 *확률과 통계 제외* 수학, 수학Ⅰ, 수학Ⅱ, 미적분
논술유형	자연계 수리 논술형
문항 수	3문항 (대문항 1개에 소문항 2~5개 내외)
답안지 형식	백지 (A3용지)
고사 시간	100분

1) 출제 구분 : 계열 구분

2) 출제 유형 :

3) 출제 및 평가내용 :

· **대문항 1번** : 독립적인 내용을 묻는 개별 소문항으로 구성
· **대문항 1번** : 고교과정에서 다루는 수학적 개념을 고르게 알고 있는지 평가하는 것을 목적
· **대문항 2번, 3번** : 제시문을 읽고 순차적으로 문제를 해결해 나가는 연계형 소문항으로 구성
· **대문항 2번, 3번** : 연계형 대문항으로 주어진 상황을 수학적으로 이해하고 해결할 수 있는 능력이 있는지를 중점적으로 평가
· 논술고사는 객관식 혹은 단답형으로 출제되는 수학능력시험의 수학 영역과 달리 **서술형**이므로 각 단계별로 논리적 근거를 제시하는 것이 중요,
· 빈약한 논리적 근거로 답안을 작성한 경우 결론이 동일하더라도 감점될 수 있음
· 문항과 제시문을 꼼꼼히 읽는 것이 중요, 특히 문항에서 **특정한 풀이 방법이나 조건을 명시**하였으면 지정된 방향으로 풀이를 작성해야만 함

3. 출제 문항 수

구분	자연계
문항수	3문항

4. 시험 시간
· **100분**

5. 필기구
· **연필, 샤프 사용 가능 (반드시 검정색 필기구만 사용)**

6. 논술 유의사항
1) 답안 작성 시 유의 사항
· 답안지에 모집단위, 성명, 수험번호, 주민번호 앞자리를 정확히 기입
· 계산기와 통신기기 등은 휴대할 수 없으며, 휴대 시 부정행위로 처리
· 답안지는 1매만 사용해야 하며, 2매 사용 시 무효(0점) 처리
· 반드시 검은색 필기구(볼펜, 연필, 사인펜 등)만 사용
· 수정테이프, 수정액 사용 가능, 필기구로 두 줄을 그어 수정해도 무방함
· 해당 답안란에 답안을 작성할 것, 답안 영역을 벗어난 내용에 대해서는 채점이 불가함
· 0점 처리 기준
- 답안지에 답 이외의 특정 표시나 자신의 신원을 드러내는 표기를 한 경우
- 풀이과정이 없는 경우

II. 기출문제 분석

1. 출제 경향

학년도	교과목	핵심 개념, 주제
2024학년도 수시 논술 (오전)	수학, 수학Ⅰ, 수학Ⅱ, 미적분	이차방정식,삼각함수,다항함수,미분
	수학, 수학Ⅰ, 수학Ⅱ, 미적분	이차방정식,직선의 방정식,도형의 이동,무리함수, 삼각함수,도함수
	수학, 수학Ⅰ, 수학Ⅱ, 미적분	원의 방정식,지수함수,등비수열,속도와 거리, 정적분,등비급수,매개변수로 나타낸 함수
2024학년도 수시 논술 (오후)	수학, 수학Ⅰ, 미적분	도형의 이동,이차함수,연립방정식,지수함수, 역함수,미분
	수학,수학Ⅰ	조합,수학적 귀납법
	미적분	부정적분,부분적분법,정적분,넓이
2024학년도 모의 논술	수학, 미적분, 수학Ⅱ, 미적분	함수의 정의, 경우의 수, 닮음, 등비급수, 정적분 함수, 미분, 적분, 연속함수의 최대 최소
	수학Ⅰ, 수학Ⅱ, 미적분	삼각함수, 도함수, 접선, 무한급수
2023학년도 수시 논술 (오전)	수학, 수학Ⅰ, 미적분	무리함수, 지수함수, 삼각함수, 등비수열, 등비급수, 미분, 적분
	수학, 수학Ⅰ, 수학Ⅱ, 미적분	속도와 거리, 정적분, 일반각과 호도법, 삼각형의 넓이
	수학Ⅱ, 미적분	로그함수, 다항함수, 미분, 정적분, 넓이
2023학년도 수시 논술 (오후)	수학, 수학Ⅰ, 수학Ⅱ, 미적분	경우의 수, 도함수, 함수의 극한, 곱의 미분, 여러 가지 수열
	수학, 수학Ⅰ, 수학Ⅱ, 미적분	직선의 방정식, 일반각과 호도법, 삼각함수, 도함수, 미분
	수학, 수학Ⅱ, 미적분	이차함수, 무리함수, 역함수, 거리, 접선의 방정식, 미분, 넓이, 적분
2023학년도 모의 논술	수학Ⅰ, 수학Ⅱ, 미적분	삼각함수의 최대최소, 이차부등식, 수열과 급수의 수렴, 합성함수 미분, 역함수(지수, 로그함수)
	수학, 미적분,	미분, 다항함수, 직선의 방정식, 연립방정식
	수학Ⅰ, 수학Ⅱ, 미적분	수열의 극한, 부분적분법, 삼차함수
2022년도 수시 논술 1차	수학Ⅰ, 수학Ⅱ, 미적분, 확률과 통계	지수, 로그, 등차수열, 등비수열, 등비급수, 삼각함수, 속도와 거리, 중복조합
	수학, 수학Ⅰ, 미적분	원의 방정식, 직선의 방정식, 사인법칙, 코사인법칙
	수학, 수학Ⅰ,	원의 방정식, 직선의 방정식, 사인법칙,

학년도	교과목	핵심 개념, 주제
	미적분	코사인법칙, 곡선의 길이, 매개변수 방정식, 정적분
2022년도 수시 논술 2차	수학, 수학Ⅰ, 수학Ⅱ, 미적분	함수의 미분, 접선의 방정식, 수열의 합, 정적분, 무리함수
	수학Ⅰ, 수학Ⅱ, 미적분	로그함수, 도함수, 넓이와 적분, 최댓값과 최솟값
	수학, 수학Ⅰ, 수학Ⅱ, 미적분	속도와 거리, 삼각함수, 최댓값과 최솟값
2022년도 수시 논술 3차	수학, 수학Ⅰ, 미적분	음함수의 미분법, 지수함수, 로그함수, 삼각함수, 등차수열, 급수의 합
	수학, 수학Ⅰ, 수학Ⅱ, 미적분	정적분, 치환적분, 부분적분, 삼각함수의 적분
	수학, 수학Ⅰ, 수학Ⅱ, 미적분	극대와 극소, 근과 계수와의 관계, 삼각함수, 미분법
2022년도 수시 논술 4차	수학, 수학Ⅰ, 수학Ⅱ, 확률과 통계	방정식, 다항함수의 미분, 접선의 방정식, 수열, 수열의 합, 이항분포
	미적분	지수함수, 수열의 극한, 최댓값과 최솟값
	수학, 수학Ⅰ, 미적분	삼각함수, 삼각함수의 그래프, 수열의 합, 정적분
2022학년도 모의 논술	수학, 수학Ⅰ, 수학Ⅱ, 미적분	지수함수, 직선의 방정식, 접선, 음함수 미분법, 수열의 합, 정적분의 계산
	수학, 수학Ⅱ, 미적분	도형의 넓이, 삼각함수 그래프, 교점, 수직의 개념
	수학, 수학Ⅰ, 미적분	등비수열, 등비급수, 삼각비, 삼각형의 닮음, 도형의 넓이
2021학년도 수시 논술 1차	수학, 수학Ⅰ, 수학Ⅱ, 미적분	원뿔, 도함수, 함수의 그래프, 연립이차방정식, 삼각함수의 덧셈정리, 삼각함수의 그래프, 속도와 거리
	수학Ⅰ, 확률과 통계	중복조합, 여러 가지 수열의 합, 확률변수, 조건부 확률, 확률의 곱셈정리, 이산확률변수의 평균
	수학, 수학Ⅱ, 미적분	이차방정식의 근과계수의 관계, 삼각함수의 덧셈정리, 미분계수, 접선의 방정식, 함수의 극한의 성질
2021학년도 수시 논술 2차	수학Ⅰ, 수학Ⅱ, 미적분, 확률과 통계	다항함수의 정적분, 두 곡선 사이의 넓이, 등비수열, 삼각함수의 뜻과 그래프, 확률의 덧셈정리, 삼각함수의 덧셈정리, 사인법칙, 함수의 증가와 감소

학년도	교과목	핵심 개념, 주제
	수학, 수학Ⅱ, 미적분	점과 직선사이의 거리, 함수의 증가와 감소, 정적분의 활용
	수학Ⅰ, 수학Ⅱ, 미적분	지수함수와 로그함수, 여러 가지 수열의 합, 수열의 극한값 계산, 정적분과 급수의 합
2021학년도 수시 논술 3차	수학Ⅱ, 미적분, 확률과 통계	삼각함수의 덧셈정리, 등비수열의 극한, 사건의 독립과 종속
	수학, 수학Ⅱ, 미적분	역함수, 정적분, 넓이
	수학Ⅰ, 미적분	삼각함수의 정의, 삼각함수의 그래프, 속도와 가속도
2021학년도 수시 논술 4차	수학, 수학Ⅰ, 수학Ⅱ, 미적분	이차함수의 최대·최소, 삼각방정식, 삼각함수의 성질, 로그함수, 넓이, 부분적분, 삼각함수의 덧셈정리
	수학Ⅱ, 미적분	미분계수의 정의, 정적분
	수학, 확률과 통계	경우의 수, 여사건의 확률, 독립시행의 확률, 이항분포, 정규분포
2021학년도 모의 논술	수학Ⅰ, 수학Ⅱ, 미적분, 확률과 통계	지수-로그함수, 삼각함수, 극한, 적분, 중복조합
	수학, 수학Ⅰ, 미적분	미분, 적분, 도형의 방정식, 삼각함수
	수학Ⅰ, 미적분	등비수열, 매개변수 방정식, 수열의 극한값

2. 출제 의도

학년도	출제의도
2024학년도 수시 논술 (오전)	이차방정식의 근과 계수의 관계, 삼각함수, 미분에서의 극값의 개념, 지수함수 적분, 정적분을 활용한 입체도형의 부피 구하기 등을 잘 알고 이를 문제 풀이에 적용할 수 있는지 평가하고자 하였다.
	[1.1] 이차방정식의 근과 계수의 관계를 알고 이를 통해 삼각함수로 주어진 값을 구할 수 있는지 평가한다.
	[1.2] 함수의 미분을 활용하여 주어진 조건을 만족하는 함수를 얻을 수 있는지, 또 도함수와 극값의 개념을 이해하고 있는지 평가한다.
	[1.3] 주어진 단면의 넓이로부터 지수함수의 적분을 활용하여 입체도형의 부피를 구할 수 있는지 평가한다.
	무리함수는 고등학교 수학 교과과정에서 처음 다루게 되는 함수로서 다항함수의 역함수뿐 아니라 지진해일의 전파 속력과 수심과의 관계, 태풍의 중심기압과 최대 풍속과의 관계, 자유낙하 물체의 위치에 따른 시간 등을 표현하는 데 이용된다. 데카르트에 의해 도형을 좌표평면으로 이동할 수 있게 되면서 대칭, 각의 값 등 도형의 여러 성질을 명확하게 계산할 수 있게 되었다. 문제를 해결하기 위해 대칭이동, 무리함수의 미분, 접선의 방정식, 코사인법칙을 활용할 수 있는지 평가하고자 하였다.
	[2.1] 대칭이동을 이용하여 삼각형의 둘레가 최소가 되는 점의 좌표를 구할 수 있는지 평가한다.
	[2.2] 무리함수의 미분을 이용하여 접선의 방정식과 두 직선의 교점을 바르게 구하여 원하는 삼각함수의 값을 얻을 수 있는지 평가한다.
	[2.3] 이차방정식의 근과 계수의 관계와 코사인법칙을 이용하여 원하는 값을 구할 수 있는지 평가한다.
	자연에서 일어나는 여러 물리 현상들을 과학기술에 접목하여 제품을 생산하고 그 제품의 성능을 향상하려는 노력이 최근에 많이 이루어지고 있다. 특히, 나노/바이오 기술을 활용한 자연 모사 소자에 관한 연구는 AI 기반 반도체 개발에 이용될 수 있다. 이처럼 자연의 여러 현상을 이해하고 기술 개발에 활용하기 위해서는 이를 수학적으로 기술하고 해석하는 능력이 중요하다. 예를 들어 매개변수로 물체의 운동을 기술할 수 있다. 또한 동심원 형태의 구조는 렌즈, 회절격자, X-선 반사판 등 빛을 제어하는 여러 광학기기에 이용되고 있다. 물체가 움직일 때 동심원 형태의 경계선을 지나는 상황을 자연로그, 등비급수, 미분, 적분 등을 활용하여 올바르게 해석하고 답을 구할 수 있는지 평가하고자 하였다.
	[3.1] 원의 중심에서 점 P 까지의 거리와 원의 반지름의 길이를 비교

학년도	출제의도
	하여 주어진 문제에 올바르게 답할 수 있는지 평가한다. [3.2] 점 P 가 원을 마지막으로 만나는 시간을 구한 뒤, 정적분을 활용하여 점이 움직인 거리를 올바르게 답할 수 있는지 평가한다. [3.3] 삼각함수의 적분과 등비급수를 활용하여 주어진 식을 해석하고 주어진 문제에 올바르게 답할 수 있는지 평가한다.
2024학년도 수시 논술 (오후)	문제를 해결하기 위해서는 문항의 내용을 수 식화하고 원하는 답을 얻기 위해 관련된 기본 개념을 활용할 수 있어야 한다. 특히 도형의 이동, 이차함수, 역함수, 이차방정식, 미분을 잘 알고 적용할 수 있는지 평가하고자 하였다. [1.1] 좌표평면 위 함수의 그래프의 이동과 이차함수와 직선의 위치 관계를 이해하고, 연립방정식을 풀 수 있는지 평가한다. [1.2] 역함수의 성질을 이용하여 주어진 지수함수로부터 이차방정식을 유도하고, 그 방정식의 근을 구할 수 있는지 평가한다. [1.3] 닫힌 구간에서 정의된 연속함수의 최솟값을 미분을 이용하여 구할 수 있는지 평가한다.
	수학을 배우는 목적 중 하나는 수학 지식을 활용하여 다양한 문제의 해결 능력을 양성하는 데 있다. 주어진 조건을 이해하고 조합을 이용하여 경우의 수를 계산할 수 있는지와 수학적 귀납법을 이용하여 명제를 증명할 수 있는지를 평가하고자 하였다. [2.1] 조합을 이용하여 경우의 수를 계산할 수 있는지 평가한다. [2.2] 주어진 조건이 있을 때 경우의 수를 계산할 수 있는지 평가한다. [2.3] 수학적 귀납법을 이해하고, 이를 이용하여 명제를 증명할 수 있는지 평가한다.
	다양한 자연현상과 사회현상을 이해하고 설명하기 위해 미적분이 활용되는 경우가 많다. 따라서, 미적분 개념의 이해는 이공계 대학 신입생이 반드시 갖춰야 하는 기본 소양이다. 특히 도형의 넓이나 부피를 계산하기 위해 정적분을 활용하는 방법을 배우는 것은, 복잡한 문제를 세분하여 단순화한 후 이를 종합하여 해결하는 원리를 이해하기 위한 초석이다. 이러한 원리는 일, 에너지, 압력, 확률 계산 등에 널리 활용된다. 본 문제에서는 적분과 관련하여 여러 가지 함수의 원시함수를 구하고 부분적분법을 활용할 수 있는지, 정적분을 이용하여 넓이를 계산할 수 있는지, 정적분과 급수의 합 사이의 관계를 이해하고 활용할 수 있는지를 평가하고자 하였다. [3.1] 부분적분법을 이용하여 여러 가지 함수의 부정적분을 구할 수 있는지 평가한다.

학년도	출제의도
	[3.2] 정적분을 이용하여 주어진 도형의 넓이를 구할 수 있는지 평가한다.
	[3.3] 정적분과 급수의 합 사이의 관계를 이용하여 극한값을 구할 수 있는지 평가한다.
2024학년도 모의 논술	주제를 단순화하여 가능성을 예측하는 과정은 경우의 수를 통하여 길러질 수 있다. 또한 직각삼각형의 닮음비를 이용하여 등비급수의 공비와 합을 구하는 과정은 문제해결 과정을 단계별로 처리할 수 있게 해준다. 단면의 넓이가 함수로 주어졌을 때 이를 이용하여 입체의 부피를 구할 수 있다면 적분 응용의 한 부분을 이해하고 적용할 수 있음을 뜻한다. [1.1] 함수의 정의를 이용하여 주어진 조건을 만족하는 함수의 경우의 수를 구할 수 있는지 평가한다. [1.2] 주어진 도형의 닮음 조건을 알고, 이들의 닮음비를 이용하여 등비급수의 합을 구할 수 있는지 평가한다. [1.3] 단면적이 주어진 입체도형의 부피를 구하기 위해 적분을 이용할 수 있는지와 다항식의 정적분을 할 수 있는지 평가한다. 함수 및 미분과 적분은 변화하는 현상을 수학적으로 모델링하고 해석할 때 필수적인 도구이다. 주어진 상황을 함수로 표현하고 원하는 정보를 얻기 위해서 미분 및 적분을 활용하는 능력은 이공계열 전공과정 수학을 위해 필수적인 능력이다. 함수의 미분과 적분을 활용하여 문제에서 요구하는 상황에 맞는 정보를 도출해 낼 수 있는지 평가하고자 하였다. [2.1] 미분을 이용하여 그래프의 개형을 그릴 수 있고 이를 교점의 개수를 구하는 데 활용할 수 있는지 평가한다. [2.2] 정적분을 이용하여 두 곡선이 만나서 생기는 도형의 넓이를 계산할 수 있는지 평가한다. [2.3] 미분을 이용하여 연속함수의 최댓값과 최솟값을 구할 수 있는지 평가한다. 이공계 대학 과정을 공부하는데 필수적인 삼각함수, 도함수, 접선, 무한급수 등에 관한 내용을 알고 있는지 평가하는 문제이다. 삼각함수가 포함된 분수함수의 근을 찾고, 도함수를 이용하여 접선의 방정식을 구할 수 있어야 하며, 무한급수의 합을 이해하고 구할 수 있는지 확인하고자 하였다. [3.1] 코사인 함수의 값이 0이 되는 점을 구할 수 있는지 평가한다. [3.2] 접선의 방정식을 찾고 y절편을 구할 수 있는지 평가한다. 삼각함수가 포함된 분수함수의 도함수를 구할 수 있어야 하고, n이 홀수

학년도	출제의도
	일 때와 짝수일 때로 나누어 생각할 수 있어야 한다.
	[3.3] 삼각형의 넓이를 구하고, 급수의 합을 구하기 위하여 분수식을 부분분수로 변형할 수 있는지 평가한다.
	[3.4] 부분합을 구하고 극한을 계산하여 무한급수의 합을 구할 수 있는지 평가한다.
2023학년도 수시 논술 (오전)	등비급수, 접선의 방정식, 무리함수 및 삼각함수의 미분, 부분적분, 삼각함수 공식, 함수로 표현되는 도형의 부피와 그 부피의 단면인 도형의 넓이의 관계들을 잘 알고 적용할 수 있는지 평가하고자 하였다.
	[1.1] 무리함수의 미분을 이용하여 수열의 점화식을 얻을 수 있는지 평가한다. 또 등비급수를 이용하여 급수의 합을 구할 수 있는지 평가한다.
	[1.2] 주어진 구간에서 함수가 극값을 갖는 조건을 활용할 수 있는지와 삼각함수의 미분, 삼각함수의 합의 공식을 맞게 적용할 수 있는지 평가한다.
	[1.3] 적분을 활용하여 주어진 조건으로부터 단면의 넓이와 부피를 구할 수 있는지 평가한다.
	주어진 문제들을 파악하고 그 의미를 깊이 이해하는 데 있어 이를 수학적으로 기술하고 해석하는 능력은 이공계 전공 공부에서 중요한 요소이다. 예를 들어 빛을 다루는 광학의 경우, 삼각함수, 지수함수, 미적분 등의 수학적 지식을 이용하여 간섭, 회절 등의 빛의 현상과 레이저, LED 조명 등 광원의 특성을 기술할 수 있다. 특히, 레이저 빛의 경우 복잡한 빔의 형상을 가우스 함수로 근사함으로써 빔이 갖는 여러 광학 현상들을 간단히 다룰 수 있다. 최근 주목받고 있는 양자점, OLED, 입체 디스플레이 등의 여러 기술은 수학 함수와 모형화를 통해 그 결괏값을 예측하고 이를 실제 기술 발전에 활용할 수 있다. 본 문제에서는 램프에서 나오는 빔이 움직이는 불투명 원판에 비칠 때의 상황을 간단한 미적분과 원의 방정식, 두 원의 관계 등을 이용해서 파악할 수 있는지 평가하고자 하였다.
	[2.1] 속도의 개념을 알고 적분을 통해 위치 함수를 구할 수 있는지 평가한다.
	[2.2] 두 원의 중심이 주어진 거리만큼 떨어졌을 때, 부채꼴, 원 및 삼각형의 넓이를 올바르게 활용하는지 평가한다.
	[2.3] 주어진 시간에서 두 원의 관계를 이해하고 이를 통해 부채꼴, 원 및 삼각형의 넓이를 올바르게 활용하는지 평가한다.
	[2.4] 앞에서 구한 위치를 바탕으로 질문에 답할 수 있는지 평가한다.
	함수의 미분을 통해 주어진 자료를 설명하는 함수에 대한 여러 정보

학년도	출제의도
	를 알아낼 수 있다. 원하는 정보를 얻기 위해 함수의 도함수를 이용하는 능력을 평가하고자 한다. 이를 위하여 고등학교 수학에서 배우는 미분 가능성, 도함수의 활용, 정적분 등 다양한 개념들을 알고 있는지 확인하는 문항들로 구성하였다. [3.1] 함수의 미분가능성과 연속성의 관계를 이해하고 함수의 극한값을 구할 수 있는지 평가한다. [3.2] 도함수를 활용하여 방정식과 부등식에 대한 문제를 해결할 수 있는지 평가한다. [3.3] 여러 가지 함수의 적분을 활용하여 곡선으로 둘러싸인 도형의 넓이를 구할 수 있는지 평가한다.
2023학년도 수시 논술 (오후)	고등학교 수학에서 배우는 경우의 수, 수열의 합과 극한, 미분의 개념을 알고 있는지 확인하는 문항들로 구성하였다. [1.1] 고등학교 수학에서 배우는 개념들은 경우의 수를 이용하여 사회 현상을 수학적 모델로 설명할 수 있으며, 조합을 활용하여 제시된 조건에 대한 경우의 수를 구할 수 있는지 평가한다. [1.2] 수열의 합이 주어진 식으로부터 수열의 일반항을 구하고 급수의 합의 극한을 구할 수 있는 지 평가한다. 유리식을 부분분수로 변환할 수 있어야 한다. [1.3] 함수의 미분을 통해 주어진 조건을 설명하는 함수에 대한 여러 정보를 알아낼 수 있으며, 도함수를 확실히 이해하고 있고 제시된 함수에 적용할 수 있는지 평가한다. 문제를 풀기 위한 개념은 호도법, 삼각함수, 직선의 기울기, 삼각함수의 미분, 최댓값 등 이다. [2.1] 삼각형의 성질을 이용하여 각의 크기를 구할 수 있는지 평가한다. [2.2] 부채꼴과 삼각형의 넓이를 구할 수 있는지 평가한다. [2.3] 주어진 조건을 만족하는 점의 좌표를 찾고 직선의 방정식을 구할 수 있는지 평가한다. [2.4] 부채꼴과 삼각형의 넓이로 정의된 함수의 표현식을 찾고, 이 함수에 삼각함수의 미분을 이용하여 최댓값을 구할 수 있는지 평가한다. 문제는 역함수 및 대칭이동 관계에 있는 함수의 그래프를 통해 그 그래프 위의 점들이 어떠한 관계에 있는지 이해하는 능력을 확인하고자 한다. 대칭 및 평행이동 관계에 있는 점 사이의 거리를 통해 주어진 조건에 맞는 해를 구하도록 한다. 또한 곡선 위의 점에서 접선의 방정식을 구하고 다항식의 적분을 통해 도형의 넓이를 구할 수 있는지

학년도	출제의도
	평가한다. 풀이 과정에서 주어진 제시문과 고등학교 수학 지식을 적절히 이용하여야 한다.
	[3.1] 주어진 함수의 역함수를 구하고 이의 그래프가 주어진 다른 함수의 그래프와 대칭이동 관계에 있음을 이해할 수 있는지 평가한다.
	[3.2] 역함수 관계에 있는 두 함수의 그래프 위의 두 점이 대칭 관계에 있음을 이해하고 이를 통해 조건에 맞는 해를 구할 수 있는지 평가한다.
	[3.3] 곡선 위의 점에서 접선의 방정식을 구하고 다항식의 적분을 통해 도형의 넓이를 구할 수 있는지 평가한다.
2023학년도 모의 논술	[1.1] 삼각함수의 최대-최소 개념과 이차부등식의 풀이 개념을 통합적으로 적용할 수 있는지 평가한다.
	[1.2] 수열과 급수의 수렴성에 대한 기본 개념을 이해하고 활용할 수 있는지 평가한다.
	[1.3] 합성함수의 미분 또는 지수-로그 함수의 역함수 관계를 활용할 수 있는지 평가한다.
	다항함수의 그래프에 접하는 접선을 구하는데 미분을 이용할 수 있는지 평가하는 문제이다. 또한 다항함수의 그래프들이 접하거나 평행 혹은 수직인 위치관계에 있을 때 이를 수식으로 표현할 수 있는지 평가하는 문항들로 이루어져 있다.
	[2.1] 제시한 변수와 미분을 이용하여 이차함수에 접하는 직선의 방정식을 표현할 수 있는지 평가한다.
	[2.2] 주어진 직선에 수직인 직선의 방정식을 구하고, 두 직선의 교점이 만족하는 성질을 보이기 위해 연립방정식을 풀 수 있는지 평가한다.
	[2.3] 주어진 직선에 평행한 직선의 방정식을 구할 수 있는지 평가한다.
	[2.4] 이전 문항들에서 구한 도형의 방정식을 이용하여 이들의 교점을 구할 수 있는지 평가한다.
	수열의 극한으로 표현된 함수가 연속이기 위한 상수를 구하고 이 함수가 나타내는 곡선으로 둘러싸인 도형의 넓이를 구할 수 있는지 평가하는 문제이다. 원하는 결과를 얻기 위해서는 제시문과 고등학교 수학 지식을 적절히 이용하여야 하며, 부분적분법을 활용할 수 있어야 한다.
	[3.1] 수열의 극한으로 표현된 함숫값을 계산할 수 있는지 평가한다.
	[3.2] 제시문에서 주어진 수열의 극한값의 대소 관계를 이용하여 수열의 극한을 구할 수 있는지 평가한다.

학년도	출제의도
	[3.3] 함수의 연속을 이해하고 이를 활용하여 주어진 구간에서 함수가 연속이 되기 위한 상수를 구할 수 있는지 평가한다.
	[3.4] 삼차함수로 주어진 곡선과 두 직선으로 둘러싸인 도형을 이해하고 그 넓이를 구할 수 있는지 평가한다.
2022학년도 수시 논술 1차	학생들에게 기본적으로 필요한 수학 지식을 묻는 문항들로 구성하였다. 고등학교에서 배우는 수학의 범위 내에서 지수, 로그, 삼각함수, 수열, 중복조합 등을 활용하여 문제에서 요구하는 결과를 얻을 수 있어야 한다.
	[1.1] 지수를 이용하여 표현된 두 수열의 관계식에서 로그의 성질을 이용하여 주어진 수열이 등비수열임을 밝힐 수 있는지 평가한다. 또한 등비급수의 합을 구할 수 있는지도 평가한다.
	[1.2] 물체의 위치 및 속도가 사인함수, 코사인함수로 각각 주어질 때, 주어진 조건에서 미지수들을 찾아 올바르게 답할 수 있는지 평가한다.
	[1.3] 주어진 조건을 만족하는 자연수들의 순서쌍의 개수를 바르게 셀 수 있는지 평가한다.
	삼각형은 다각형의 기본이 되는 도형이다. 고교과정에서 삼각형의 변의 길이와 각의 크기 사이의 관계식을 찾을 수 있어야 한다. 문제를 해결하기 위해서는 좌표평면 위에 놓인 도형을 수식으로 바꾸어 방정식을 풀 수 있어야 하고, 삼각함수의 법칙들을 활용할 수 있어야 한다.
	[2.1] 조건을 만족하는 직선의 방정식을 구하기 위하여 두 점 사이의 거리공식을 이용한 방정식을 세우고 이 방정식의 해를 구할 수 있는지 평가한다.
	[2.2] 주어진 삼각형의 각에 대하여 사인값, 코사인값을 구할 수 있는지와 삼각함수의 덧셈정리를 활용할 수 있는지 평가한다.
	[2.3] 사인법칙을 이용하여 삼각형의 외접원의 반지름의 길이를 구할 수 있는지 평가한다.
	문제를 풀기 위한 개념은 삼각함수, 삼각함수의 미분, 곡선의 길이 등 고등학생이 알아야 할 기본적인 내용이다.
	[3.1] 원 위에 있는 점의 좌표를 삼각함수를 이용하여 매개방정식으로 표현할 수 있는지 평가한다.
	[3.2] 제시문에서 설명하는 곡선의 형태를 이해하고 매개방정식을 구할 수 있는지 평가한다.
	[3.3] 문항 [3.2]에서 매개방정식으로 구한 곡선의 길이를 정적분을 이용하여 계산할 수 있는지 평가한다.

학년도	출제의도
	[3.4] 문항 [3.3]에서 구한 곡선의 길이를 포함하여 제시문에서 설명하는 곡선 전체의 길이를 계산할 수 있는지 평가한다. 조건에 따라 세 개의 곡선으로 나누어 길이를 구할 수 있어야 한다.
2022학년도 수시 논술 2차	접선의 방정식, 수열의 합, 정적분과 넓이와의 관계, 함수의 미분 등 고교 수학의 핵심적인 개념을 문제 해결에 적용할 수 있는지 평가하는 문제이다. [1.1] 무리함수로 표현된 곡선의 한 점에 접하는 접선의 방정식을 구할 수 있는지 평가한다. [1.2] 등비수열의 첫째항과 공비를 이용하여 등비급수의 합을 구할 수 있는지 평가한다. [1.3] 미분을 이용하여 접선의 방정식을 구할 수 있는지와 함께 적분을 활용하여 주어진 도형의 넓이를 구할 수 있는지 평가한다.
	정적분, 부분적분법, 도함수, 최댓값 등에 관한 내용을 알고 있는지 평가하는 문제이다. 이를 위하여 자연로그 함수 그래프 위에 있는 임의의 두 점에 대하여 제시문에 설명된 도형을 이해하고, 그 도형의 넓이를 구할 수 있는지 확인하고자 하였다. [2.1] 접선의 기울기를 알고 있는 어떤 점의 좌표를 구할 수 있는지 평가한다. [2.2] 로그함수의 그래프와 두 직선으로 이루어진 도형의 넓이를 정적분을 이용하여 구할 수 있는지 평가한다. 로그함수의 부분적분을 계산할 수 있어야 하고, 로그의 성질을 적절히 이용하여 정적분 결과를 간단히 정리할 수 있어야 한다. [2.3] 문항 [2.2]에서 구한 도형의 넓이를 나타내는 함수의 최댓값을 구할 수 있는지 평가한다.
	자연현상 및 공학 문제를 모사한 수학적 모델을 이해하고, 수학 개념을 이용하여 원하는 물리량(거리, 면적, 부피, 속도, 각도 등)을 계산할 수 있는 능력이 필요하다. 따라서 이차원 평면에 모델링된 문제를 명확하게 이해하고, 꼭 필요한 수학 개념인 미분과 삼각함수를 이용하여 각도와 거리를 계산할 수 있는지 평가한다. [3.1] 서술된 문제를 이해하여 함수를 설계할 수 있는지 평가한다. [3.2] 주어진 조건과 무리함수에 대한 미분을 이용하여 거리를 구하고, 삼각함수를 이용하여 각도를 구할 수 있는지 평가한다. [3.3] 주어진 조건과 삼각함수 덧셈공식, 사인과 코사인의 관계식을 이용하여 직각삼각형의 한 변의 길이를 구할 수 있는지 평가한다.
2022학년도 수시 논술	고등학교 과정에서 다루는 기본적인 내용을 이해하고 있는지 평가하고자 하였다. 이를 위해 음함수 미분법, 접선의 방정식, 지수함수와

학년도	출제의도
3차	로그함수, 그래프의 평행이동, 삼각함수, 수열, 여러 가지 수열의 합 등 다양한 개념에 대한 지식을 갖추고 있는지 평가하는 항목으로 문제를 구성하였다. [1.1] 음함수의 미분법을 이해하여 접선의 방정식을 구하는 데 적용할 수 있는지 평가한다. [1.2] 지수함수와 로그함수의 성질과 그래프의 평행이동을 이해하여 질문에 답할 수 있는지 평가한다. [1.3] 삼각함수의 그래프를 이해하여 등차수열을 찾을 수 있는지와 수렴하는 급수의 합을 계산할 수 있는지 평가한다. 주어진 입체도형의 부피는 단면적의 넓이를 수식으로 나타내고 이를 적분함으로써 구할 수 있다. 이 문제를 풀기 위한 수학적 개념은 원의 방정식, 삼각함수의 그래프, 치환적분법, 부분적분법, 정적분 등 이공계 대학생이 갖춰야 할 기초지식으로 고등학생이 알아야 할 기본적인 내용이다. [2.1] 단면적의 넓이를 정적분하여 입체도형의 부피를 계산할 수 있는지 평가한다. [2.2] 치환적분법, 부분적분법을 활용하여 삼각함수가 포함된 합성함수의 정적분을 계산할 수 있는 지 평가한다. [2.3] 주어진 상황을 이해하고 정적분을 통해 질문에 답할 수 있는지 평가한다. 주어진 상황을 함수로 표현하여 함수의 최댓값 또는 최솟값을 구하는 문제로써 이해하는 것은 수학의 개념 및 응용에서 빈번하게 등장한다. 문항에서는 주어진 상황을 함수를 이용하여 표현할 수 있는지, 함수의 최댓값을 미분을 활용하여 찾을 수 있는지, 함수의 표현 및 미분 과정에서 다항함수, 무리함수, 삼각함수를 활용할 수 있는지를 종합적으로 평가하고자 하였다. [3.1] 극대-극소 판별을 위해 이차함수의 그래프를 활용할 수 있는지 평가한다. [3.2] 이차방정식의 근과 계수와의 관계를 이해하고 있는지 평가한다. [3.3] 삼각함수의 의미를 알고 수식으로 표현할 수 있는지 평가한다. [3.4] 미분을 활용하여 최댓값을 찾을 수 있는지 평가한다.
2022학년도 수시 논술 4차	문제를 풀기 위한 수학적 개념은 여러 가지 방정식과 함수, 함수에 대한 미분, 수열, 확률 등 고등학생이 알아야 할 기본적인 내용이며 이공계 대학생이 갖춰야 할 기초 지식이기도 하다. [1.1] 절댓값이 포함된 방정식의 해를 구하고 원하는 점에서의 접선의 방정식을 구할 수 있는지 평가한다.

학년도	출제의도
	[1.2] 수열의 합으로 원하는 수열의 성질을 구할 수 있는지 평가한다.
	[1.3] 이항분포를 이해하고 원하는 확률을 구할 수 있는지 평가한다.
	최근 각광 받는 인공지능 분야에서는 자연에서 등장하는 복잡한 함수를 상대적으로 간단한 인공신경망 함수로 표현한다. 본 문항에서는 다루기 어려운 지수함수의 크기를 비교적 간단한 다항함수와 미분을 이용해서 파악할 수 있는지와 수열의 극한을 이해하고 있는지 평가하고자 하였다.
	[2.1] 미분을 이용하여 접선의 방정식 및 최솟값을 구할 수 있는지 평가한다.
	[2.2] 미분을 이용하여 최솟값을 구할 수 있는지 평가한다.
	[2.3] 함수를 이용하여 부등식을 증명할 수 있는지 평가한다.
	[2.4] 주어진 상황을 이해하고 이를 활용하여 수열의 극한을 계산할 수 있는지 평가한다.
	주어진 상황을 이해하고 이를 수학적으로 기술하는 능력이 반드시 필요하다. 예를 들어 원운동이나 주기운동의 경우 물체의 운동을 삼각함수 등을 이용하여 기술할 수 있다. 이 문제를 풀기 위한 수학적 개념인 직선의 방정식, 삼각함수의 정의 및 법칙, 정적분과 급수의 합 사이의 관계 등은 학생이 갖춰야 할 기초지식이다.
	[3.1] 삼각함수, 호도법의 뜻을 알고 직선의 방정식을 활용하여 조건에 맞는 값을 구할 수 있는지 평가한다.
	[3.2] 코사인법칙과 수열의 합을 이용하여 질문에 답할 수 있는지 평가한다.
	[3.3] 정적분과 급수의 합 사이의 관계를 바탕으로 질문에 답할 수 있는지 평가한다.
2022학년도 모의 논술	수학을 배우는 목적 중 하나는 수학 지식과 이해력을 변형된 조건에 응용하여 문제를 푸는 능력을 배양하는 데 있다. 지수함수, 직선의 방정식, 접선, 음함수 미분법, 수열의 합, 정적분의 계산 등의 개념을 알고 문제 해결에 적용할 수 있는지 평가하는 문제이다.
	[1.1] 어떤 물질의 처음 상태와 나중 상태에 대한 설명을 만족하는 함수의 수식 표현을 찾고, 이 함수를 이용하여 원하는 정보를 찾을 수 있는지 평가한다.
	[1.2] 음함수 미분법을 이용하여 함수의 그래프가 아닌 곡선의 접선을 구할 수 있는지 평가한다.
	[1.3] 다항함수의 정적분을 계산할 수 있고, 간단한 수열의 합을 구할 수 있는지 평가한다.
	주어진 두 곡선이 서로 수직이 되기 위한 조건을 찾고, 두 곡선으로

학년도	출제의도
	둘러싸인 도형의 넓이를 구할 수 있는지 평가하는 문제이다. 원하는 결과를 얻기 위해서는 제시문과 고등학교 수학 지식을 적절히 이용하여야 하며, 삼차함수의 그래프를 이해하여야 한다. [2.1] 두 곡선의 교점의 좌표를 구할 수 있는지 평가한다. [2.2] 제시문에서 주어진 두 곡선의 수직을 이해하고, 주어진 곡선이 수직이 되기 위한 조건을 찾을 수 있는지 평가한다. 모든 교점에서 수직이 되어야 함을 제대로 이해하였는지도 평가 항목이다. [2.3] 두 곡선의 그래프에서 대소 관계를 판별할 수 있는지 평가한다. [2.4] 삼차함수로 주어진 두 곡선과 두 직선으로 둘러싸인 도형을 이해하고 그 넓이를 구할 수 있는지 평가한다.
	극한은 사회과학, 자연과학 등 여러 분야의 연구에서 현상 분석에 많이 이용된다. 등비수열은 빛의 투과율, 원리합계 등 물리학이나 경제학에서도 나타나며 프랙털 구조와 같은 자연현상을 단순화할 때도 나타나는 수학적 개념이다. 주어진 현상에서 규칙을 발견하고 그 현상을 이해, 예측하기 위하여 등비수열과 등비급수를 바르게 이해하는지 평가하는 문제이다. [3.1] 직각삼각형에서 삼각비를 이용하여 원하는 식을 얻을 수 있는지 평가한다. [3.2] 삼각형의 닮음을 이용하여 등비급수의 합을 구할 수 있는지 평가한다. [3.3] 등비급수로 표현되는 도형들의 넓이의 합이 특정한 값이 되는 조건을 구할 수 있는지 평가한다.
2021학년도 수시 논술 1차	삼각함수는 삼각비를 일반화시킨 개념으로, 자연 현상이나 사회 현상 가운데 나타나는 주기적인 현상을 수학적으로 표현하여 설명하고 분석할 수 있는 유용한 주기함수이다. 미분은 함수의 순간적인 변화를 설명하는 도구로, 자연과학이나 공학뿐 아니라 경제학, 사회학 등 다양한 분야에서 활용된다. 적분은 미분과 역관계에 있으며 도형의 넓이와 부피를 구하는 데 필요한 개념이다. 또 미분과 적분은 거리, 속도 문제를 해결하는 중요한 도구이다. 이와 같은 수학적 개념들은 이공계 학습을 위한 필수적인 수학기반 지식이다. [1.1] 미분을 이용하여 다항함수의 최댓값을 찾을 수 있는지 평가한다. [1.2] 주어진 원의 방정식을 이용하여 두 곡선의 교점을 구하고 삼각함수의 덧셈정리를 활용할 수 있는지 평가한다. [1.3] 직선에서의 속도와 거리에 대한 문제를 적분을 이용하여 해결할 수 있는지 평가한다.

학년도	출제의도
	등학교 수학에서 배우는 개념들은 수학적 모델을 만들고 이해하는 데 필수적이다. 복잡하고 예측이 어려운 현상을 다루는 일이 많은 현대에는 수학적 모델에서 확률의 중요성이 계속 증가하고 있다. 본 문항에서는 제시문에 주어진 상황을 확률 및 확률변수의 기댓값 개념을 활용하여 이해하고 해결할 수 있는지 평가하고자 하였다. [2.1] 중복조합을 활용하여 경우의 수를 구할 수 있는지 평가한다. [2.2] 특정한 사건의 확률을 계산할 수 있는지와 확률변수의 기댓값을 계산할 수 있는지 평가한다. [2.3] 확률변수의 값을 적절히 계산할 수 있는지와 수열의 합을 이용하여 기댓값을 계산할 수 있는지 평가한다.
	함수의 극한은 현대 수학에서 핵심적인 개념으로 생물의 개체 수나 물체의 온도 같이 제한된 환경에서 특정한 값에 한없이 가까워지는 현상을 수학적으로 표현하는 도구이다. 미분은 함수의 순간적인 변화를 설명하는 도구로, 자연과학이나 공학뿐 아니라 경제학, 사회학 등 다양한 분야에서 활용된다. 적분은 미분과 역관계에 있으며 도형의 넓이와 부피를 구하는데 필요한 개념이다. 삼각함수는 주기를 갖는 함수들을 표현하는 유용한 도구이다. 본 문제에서는 함수의 극한, 미분, 적분과 삼각함수를 이용하여 그래프로 표현된 도형의 넓이의 변화를 해석할 수 있는지 평가한다. [3.1] 탄젠트 함수의 합과 차에 관한 공식을 이용하여 문제를 해결할 수 있는지 평가한다. [3.2] 분자와 분모가 모두 발산하는 꼴의 극한을 구할 수 있고 복잡한 식을 유리화할 수 있는지 평가한다. 곡선 혹은 직선과 직선과의 교점, 곡선의 접선, 직선의 x절편과 y절편을 구할 수 있는지에 대한 평가를 포함한다. 이 문제를 해결하기 위해서는 함수의 수렴과 발산을 판단할 수 있어야 한다. [3.3] 곡선과 직선으로 둘러싸인 영역의 넓이를 구할 수 있는지 평가한다.
2021학년도 수시 논술 2차	수학을 배우는 목적 중 하나는 수학 지식과 이해력을 변형된 조건에 응용하여 문제를 푸는 능력을 배양하는 데 있다. 이 문제는 여러 가지 수학 공식을 이해하고 주어진 문제에 대해 확대 적용하여 원하는 답을 얻어낼 수 있는지 묻는 문제이다. [1.1] 주어진 수열의 주기성을 이용하고 등비급수의 합을 구할 수 있는지 평가한다. [1.2] 경우의 수를 계산하고 확률을 구할 수 있는지 평가한다. [1.3] 삼각형과 외접원의 관계를 이용하여 삼각함수로 표현되는 외접

학년도	출제의도
	원의 반지름의 조건을 이해하고 외접원의 반지름의 길이의 최솟값을 구할 수 있는지 평가한다.
	곡선 위의 움직이는 점들이 형성하는 도형의 넓이를 점들의 좌표의 함수로 표현하여 분석하는 수학적 분석 능력을 확인하고자 한다. 그 변하는 도형의 넓이가 최댓값을 가질 때를 찾을 수 있는지 평가한다. 이 과정에서 이차방정식의 근과 계수와의 관계를 이용하여 문제 속 변수의 개수를 줄여서 문제를 푸는 능력을 확인한다. 곡선이 다른 도형의 방정식과 이루는 영역의 넓이를 정적분과 도형의 넓이를 이용하여 구하는 능력을 평가한다. 곡선 위에서 움직이는 점에서 고정된 직선까지의 수선 길이의 최대 최솟값을 거리와 이차함수 개념을 이용하여 구할 수 있는지 평가한다. [2.1] 두 도형의 방정식의 교점을 구할 수 있으며 그 과정에서 근과 계수와의 관계를 이용할 수 있는지 평가한다. 두 도형의 교점이 형성하는 삼각형의 넓이의 최댓값을 이차함수의 최대 · 최솟값을 구하는 방법을 이용하여 구할 수 있는지 확인한다. [2.2] 두 도형이 형성하는 직접 구하기 곤란한 모양의 영역의 넓이를 정적분과 기본적인 도형의 넓이를 구하는 공식을 이용하여 구할 수 있는지 평가한다. [2.3] 곡선 위에서 움직이는 점에서 고정된 직선에 내린 수선의 길이의 최대 최솟값을 구하기 위하여 한 정점에서 직선에 이르는 거리 공식과 이차함수의 최대 · 최솟값을 구하는 내용을 이용하여 구할 수 있는지 평가한다.
	문제에서는 자연수들의 거듭제곱의 합과 자연수들의 합의 거듭제곱이 같기 위한 조건을 찾을 수 있는지 확인하고자 한다. 풀이 과정에서 주어진 제시문과 수학 지식을 적절히 이용하여야 한다. 주어진 식을 적절히 변형하고 정적분의 개념을 활용하여 원하는 결과를 도출할 수 있는지 평가하는 문제이다. [3.1] 간단한 거듭제곱과 직관을 이용하여 지수방정식의 해를 구할 수 있는지 평가한다. [3.2] 주어진 방정식과 해가 같은 적당한 함수를 선택하여야 한다. 또 도함수를 이용하여 감소함수임을 보여서 주어진 방정식의 해가 유일함을 보일 수 있는지 평가한다. [3.3] 유리식으로 주어진 수열의 극한이 존재하기 위한 조건을 찾고 극한값을 구할 수 있는지 평가한다. [3.4] 제시문과 정적분을 이용하여 자연수들의 거듭제곱의 합과 자연수들의 합의 거듭제곱이 같기 위한 조건을 찾을 수 있는지 평가한다.

학년도	출제의도
	함수, 극한, 삼각함수 및 확률의 개념을 알고 있는지 확인하는 문항들로 구성하였다. [1.1] 삼각함수의 덧셈정리를 활용하여 새로운 형태로 변형하고, 이를 적용할 수 있는지 평가한다. [1.2] 극한의 개념을 이해하고, 로그함수를 활용하여 극한값을 계산하기 위한 조건을 찾을 수 있는지 평가한다. [1.3] 주어진 자료를 토대로 두 사건이 서로 독립인지 종속인지 판별할 수 있는지 평가한다.
2021학년도 수시 논술 3차	함수로 표현되는 도형의 넓이는 정적분을 이용하여 구할 수 있다. 함수로 표현되는 도형의 넓이와 그 역함수로 표현되는 도형의 넓이의 관계를 이해하고 있는지를 평가한다. 또한 정적분 값을 구하는 과정에서 치환적분법, 부분적분법 등 여러 가지 적분법을 이해하고 올바르게 적용하는지를 평가한다. [2.1] 함수와 역함수의 합으로 주어진 도형의 넓이를 정적분으로 구할 수 있는지 평가한다. [2.2] 주어진 조건을 만족하는 함수로 표현된 도형의 넓이와 그 역함수로 표현되는 도형의 넓이의 관계를 이해하고 넓이를 구할 수 있는지 평가한다. [2.3] 역함수를 구하기 어려운 함수의 역함수로 표현된 도형의 넓이와 함수로 표현된 도형의 넓이의 관계를 이해하는지 평가하고 정적분을 구하기 위하여 부분적분법, 치환적분법 등을 이해하고 올바르게 적용하는지 평가한다.
	간단한 수학적 모델링을 이용하면 복잡한 자연현상을 설명할 수 있다. 학생들이 주어진 수학적 모델을 이해하고 분석할 수 있는 능력을 갖추고 있는지 확인한다. [3.1] 평면기하학의 기본원리를 이해하고 있는지 평가한다. [3.2] 삼각함수의 정의를 이해하고 있는지 평가한다. [3.3] 호도각의 원리와 이를 이용한 좌표평면의 표현을 이해하고 있는지 평가한다. [3.4] 삼각함수의 기본 특성과 미분의 의미를 이해하고 있는지 평가한다.
2021학년도 수시 논술 4차	수학을 배우는 목적 중 하나는 수학 지식과 이해력을 변형된 조건에 응용하여 문제를 푸는 능력을 배양하는 데 있다. 이 문제는 여러 가지 수학공식을 이해하고 주어진 문제에 대해 확대 적용하여 원하는 답을 얻어낼 수 있는지 묻는 문제이다. [1.1] 삼각함수의 기본 성질들을 이용하여 주어진 범위에서 이차함수

학년도	출제의도
	의 최대 최소를 구할 수 있는지 평가한다. [1.2] 로그함수의 밑과 진수와의 관계를 이해하고 정적분하여 문제를 해결할 수 있는지 평가한다. [1.3] 삼각함수를 이용하여 삼각형에서 세 변의 길이의 합과 내접원의 둘레의 길이의 비를 구하고 최댓값을 구할 수 있는지 평가한다. 삼각함수의 덧셈정리를 적절히 활용하여야 한다.
	함수의 미분을 통해 주어진 자료를 설명하는 함수에 대한 여러 정보를 알아낼 수 있다. 원하는 정보를 얻기 위해 함수의 도함수를 이용하는 능력을 평가하고자 한다. 이를 위하여 고등학교 수학에서 배우는 미분, 도함수의 정의, 정적분 등 다양한 개념들을 알고 있는지 확인하는 문항들로 구성하였다. [2.1] 수학적 직관을 이용하여 제시문의 조건을 활용할 수 있는지 평가한다. [2.2] 제시된 함수식을 분석하고 앞서 구한 결과를 대입하여 원하는 답을 얻어낼 수 있는지 평가한다. [2.3] 도함수의 정의를 정확히 이해하고 있고 제시된 함수에 적용할 수 있는지 평가한다. [2.4] 제시문과 정적분의 성질을 이용하여 원하는 값을 얻어낼 수 있는지 평가한다.
	주어진 상황에서 나타나는 경우의 수를 바탕으로 확률을 계산한다. 확률변수의 개념을 도입하여 이산확률분포를 구하고 이항분포와 정규분포 사이의 관계를 이용하여 확률을 구할 수 있는지 묻는 문제이다. [3.1] 주어진 조건에서 경우의 수를 구할 수 있는지 평가한다. [3.2] 주어진 조건에서 경우의 수를 바탕으로 확률을 계산할 수 있는지 평가한다. [3.3] 이항분포에서의 확률을 계산할 수 있는지 평가한다. [3.4] 특정한 경우에서 이항분포의 확률을 통해 기댓값과 분산을 구하고 정규분포와의 관계를 이용해 확률을 계산할 수 있는지 평가한다.
2021학년도 모의 논술	고등학교 과정 수학에서 다루는 기본적인 내용에 대한 이해도를 전반적으로 평가하고자 하였다. 이를 위해서 고등학교 수학에서 배우는 지수-로그함수, 삼각함수, 극한, 적분, 중복조합 등 다양한 개념을 알고 있는지 확인하는 문항들로 구성하였다. [1.1] 삼각함수의 그래프들로 둘러싸인 부분의 넓이를 구하는 문제이다. 여러 가지 형태의 삼각함수의 그래프를 그릴 수 있어야 하고, 삼각함수의 덧셈정리, 삼각방정식, 삼각함수의 정적분을 정확하게 알고 있는지 평가한다.

학년도	출제의도
	[1.2] 로그함수를 이용하여 표현된 수열의 극한을 계산하는 문제이다. 로그의 성질을 이용하여 주어진 표현을 간단히 나타내고 이것을 정적분으로 표현할 수 있어야 한다. 또한, 부분적분법을 이용하여 정적분을 계산할 수 있는지 평가한다. [1.3] 문제의 상황을 이해하고, 문제에서 요구하는 경우의 수를 중복순열과 수열의 합을 이용하여 구할 수 있는지 평가한다.
	평면기하 문제를 좌표평면을 도입하여 해석적인 방법(미분과 적분 등)과 대수적인 방법(도형의 방정식 등)을 통해서 해결하는 것은 근대 수학의 가장 중요한 혁신 중 하나이다. 현대에 이르러 데이터의 시각화, 데이터의 재배열과 같은 데이터 전처리 과정, 영상 처리와 같은 다양한 분야의 활용에서 좌표평면에서의 기하학을 이해하는 것이 출발점이다. 문제에서는 직선과 원 같은 기본적인 도형의 방정식을 이해하고, 이를 삼각함수와 도형의 방정식, 미분 등을 활용하여 해석하고, 문제를 해결할 수 있는지 평가하고자 하였다. [2.1] 문제의 상황을 이해하고 삼각함수의 성질을 이용할 수 있는지 평가한다. [2.2] 평면기하와 삼각함수를 이용하여 삼각형의 6요소를 구하는 방법을 이해하고 있는지 평가한다. [2.3] 원과 직선 사이의 거리 관계를 이해하고 활용할 수 있는지와 함께 기본적인 대수 방정식을 해결할 수 있는지 평가한다.
	우리 주변의 상황을 수치화하여 변화의 추이를 수학적으로 예측하는 것은 수학을 배우는 중요한 이유 중 하나이다. 등비수열은 인구수, 원금과 이자의 합과 같은 자료를, 수열의 합은 현재의 자료를 설명하는 수치가 된다. 본 문제에서는 수열로 주어진 자료의 성격을 파악하고, 대상을 보다 직관적으로 파악하는 시각을 평가하고자 하였다. [3.1] 등비수열의 일반항과 합을 구할 수 있는지 평가한다. [3.2] [3.3] 매개변수 방정식 등을 이용하여 주어진 점들의 관계식을 찾을 수 있는지 평가한다. [3.4] 수렴하는 수열의 극한값을 이용하여 부분 수열들의 극한값을 이용할 수 있는지 평가한다.

III. 논술이란?

1. 논술이란?

1) 논술이란?

어떤 문제에 대해 자기 나름의 주장이나 견해를 내세운 다음, 여러 가지 근거를 제시하여 그 주장이나 견해가 옳음을 증명하는 글쓰기 활동을 말한다. 따라서 논술의 가장 기본적인 요소는 주장과 근거이다. 다시 말해 어떤 주제에 관해서 자신의 견해를 밝히고 자기 의견을 내세우는 글이 바로 논술이다. 때문에 논술은 특별히 논리적이어야 한다는 요구를 받게 된다. 왜냐하면 여러 가지 의견이 있을 수 있는 문제에 대해 자신의 의견을 세워 다른 사람을 설득하려면, 그 주장이 충분한 근거 위에서 논리적으로 개진될 때만 가능하기 때문이다.

2) 대한민국 논술고사는?

한국에서의 대학 입시 논술고사는 실제 교과 과정과 교과서가 기본이 되어 응용된 사고와 풀이 능력과 지식을 바탕으로 한다. 논술고사는 일반적을 비판적으로 글을 읽는 능력과 창의적으로 문제를 설정하고 해결하는 능력 그리고 논리적으로 서술하는 능력을 종합적으로 평가하는 시험이다. 비판적으로 글을 읽는다는 것은 능동적으로 자신의 관점에서 글을 읽는 것을 말하며, 창의적으로 문제를 설정하고 해결하는 능력이란 심층적이고 다각적으로 논제에 접근함으로써 독창적인 사고와 풀이를 이끌어낼 수 있는 능력을 말한다. 그리고 논리적 서술 능력은 글 구성 능력, 근거 설정 능력, 표현 능력 등을 포괄한다.

3) 자연계 논술? 그리고 그 변화

모든 글은 일반적으로 3가지 종류로 나뉘어진다. 시, 소설 등 문학 작품과 같은 글쓰기인 창작적 글쓰기(creative writing)와 설명문이나 해설문의 글쓰기는 해명적 글쓰기(expository writing), 그리고 논설문의 글쓰기인 비판적 글쓰기(critical writing)가 있다. 이 글쓰기 중 대한민국의 대학입시에서 시행되고 있는 자연계 논술은 창작적 글쓰기는 포함되지 않는다. 새로운 문학 작품을 쓰는게 아니라 제시문을 읽고 내용을 구체화시켜 잘 설명하는 설명문의 형태가 있고, 주어진 문제에 대해 생각하고 깊이있는 주장을 피력하는 비판적 글쓰기도 있다.

2. 논술의 기본 용어

1) 논제 : 논술의 문제를 의미한다.

반드시 해결하고 접근하여야 할 논술 시험의 대상이다.

  (ㄱ) 중심 논제 : 채점할 때 가장 배점이 높으며, 핵심적으로 해결해야 할 논술의 문제

  (ㄴ) 세부 논제 : 큰 논제 속에 포함된 작은 문제, 각 단계별 채점의 기준이 되며 세부 채점 항목으로 필수 해결 항목이다.

2) 논거 : 논술에서 설명하고 주장하는 논리적인 근거 혹은 이유

3) 주장 : 수험생이 생각하고 채점자에게 알리고 싶은 생각

4) 제시문 : 보기 지문을 말한다.

  (ㄱ)   출제자가 논제 해결을 위해 보여주는 다양한 글

  (ㄴ)   각종 그래프, 도표, 그림 등

        자료가 정해져 있지는 않다. 하지만 고등학교 교과서를 가장 많이 인용하고, 고등학교 교과 과정으로 분석하고 판단할 수 있는 내용을 제시한다.

5) 개요 : 논제에 맞게 더 구체적으로는 세부 논제에 맞게 글의 진행 방향을 간략하게 정리하는 과정이다.

3. 논술의 명령어

논술고사 후 대학의 발표 자료를 보면 논술은 출제자의 의도에 부합하게 글을 써야 한다고 강조한다. 그런데 출제자의 의도를 파악하는 것은 자칫 상당히 모호하고 주관적인 것으로 판단하기 쉽다.

하지만 자연계 논술에서는 명령어가 한정되어 있다. 그 명령어들을 잘 익히고 의미를 파악한다면 훨씬 논술의 이해가 높아질 것이다. 또한 대학의 채점 기준에는 명령어의 요구 조건을 충족하는지를 평가한다. 그러므로 자연계 논술의 명령어는 수험생에게는 아주 기초적이지만 필수적이며 절대 잊지 말아야 할 중요한 핵심이다.

1) ~ 에 대해 논술하시오.

; 주장을 밝히고 근거를 제시한다.

2) ~ 에 대해 설명하시오.

: 사실, 주장 등을 쉽게 풀어서 밝힌다.

> ● ~ 제시문 간의 관련성을 설명하시오.
> ● ~ 제시문의 논리적 타당성과 문제점을 설명하시오.
> ● ~ 제시문을 참고하여 주어진 자료의 특징을 설명하시오.
> ● ~ 제시문의 관점에서 왜 그런 현상이 생기는지 그 이유를 설명하시오.

3) ~ 의 비교하시오. 혹은 대조하시오.

: 공통점과 차이점을 중심으로 설명한다.

> ● ~ 공통점과 차이점을 설명하시오.

4) ~ 을 분석하시오.

: 주제를 구성요소로 나누고 각 부분의 의미와 상호관계를 밝힌다.

5) ~ 제시문과 주어진 자료를 참고하여 현상을 예측해 보시오.

: 주어진 자료를 해석하고 자료로부터 얻을 수 있는 시간에 따른 변화나 자료의 발생 이유를 살핀다.

6) ~ 제시문의 문제점을 지적하고 그 문제점을 해결할 방법을 제시하시오.

: 보통은 수학이나 과학의 역사에서 발생했던 여러 오류나 실험과정에서 나타난 문

제점을 가지고 있다. 또한 이론이나 실험, 학생의 실험보고서 등과 같이 확실한 오류가 있는 제시문을 주기도 한다. 분명히 문제점을 파악하여 답안에 서술하고 문제점이나 해결할 수 있는 방법 등을 명확히 하여야 한다.

● ~ 제시문의 관점에서 왜 그런 현상이 생기는지 그 원리를 설명하고 그런 현상을 예방할 수 있는 방안을 제시하시오.
● ~ 문제점을 지적하고 합리적 대안을 제안해 보시오.
● ~ 주어진 관점을 검증할 수 있는 방법을 논하시오.
● ~ 주어진 문제점을 해결할 수 있는 실험을 설계해 보시오.

---

  7) 제시문의 관점에서 주장을 비판하시오.
    : 어떤 주장의 타당성이나 가치 등을 평가한다.

4. 자연계 논술 글쓰기 유의사항

  ① 논제의 해결이 핵심이다. 출제자가 원하는 답을 써야 한다.
  ② 논제에 부합하는 글을 일관성 있게 써야 한다.
  ③ 한편의 글을 완성하여야 한다. 나열하거나 사례를 보여주는 것은 의미가 없다.
  ④ 제시문을 활용, 인용하는 것과 제시문을 그대로 옮겨 쓰는 것은 다르다. 적절하게 제시문의 내용을 사용하여 논제를 해결하여야 한다. 절대 제시문의 문장을 그대로 쓰면 안 된다. 금기사항이고 감점요인이다.
  ⑤ 부적절한 문장 즉, 비문을 만들지 말아야 한다. 주어와 서술어가 적절하게 있어 문장의 의미를 명확히 전달하여야 한다. 주어를 생략하거나 지시어를 과도하게 사용하면 문장의 의미가 모호해 진다.
  ⑥ 문장은 짧고 간결하게 써야 한다. 자신의 의견을 명확히 간결하고 효과적으로 밝혀야 한다.

5. 논술 확인 사항

1. 답안지는 지급된 흑색 볼펜으로 원고지 사용법에 따라 작성하여야 합니다.
(수정액 및 수정테이프 사용 금지)
2. 수험번호와 생년월일을 숫자로 쓰고 컴퓨터용 사인펜으로 ● 표기하여야 합니다.
3. 답안의 작성 영역을 벗어나지 않도록 각별히 유의 바라며, 인적사항 및 답안과
. 관계없는 표기를 하는 경우 결격 처리 될 수 있습니다.
4. 제시된 작성 분량 미 준수 시 감점 처리됨을 유의 바랍니다.

Ⅳ. 자연계 논술 실전

1. 각 대학별 논술 유의사항을 파악하라!

많은 대학에서 글자수 제한을 확인하여야 한다. 그래서 원고지 형이 많지만, 문항별 칸을 만들거나 밑줄 답안 형식도 있다. 논술 시험 시간은 각 대학별로 다양하다. 60분 즉, 한 시간을 시작으로 많게는 2시간까지 (120분)까지 다양하게 있다. 대학별로 준비해야 하는 중요한 이유이다. 답안을 작성하는 필기구도 다양하다. 연필(샤프펜)의 사용이 꾸준히 증가하지만 아직까지 검정색 볼펜이나 청색 볼펜으로 사용하는 학교도 많다. 주의할 것은 수정법이다. 수정은 학교에 따라 수정액, 수정테이프의 사용을 제한하는 경우도 있고 틀리면 두줄을 긋고 써야 하는 곳도 있다. 그러므로 각 대학별 특징을 파악하고, 미리 답안 작성 연습은 물론이고 작성할 때도 대학별로 금지하는 내용을 숙지하고 시험장에 가야 한다.

각 대학별 유의사항 사례

사례 1)

가. 답안은 한글로 작성하되, 글자수 제한은 없다.

나. 제목은 쓰지 말고 특별한 표시를 하지 말아야 한다.

다. 제시문 속의 문장을 그대로 쓰지 말아야 한다.

라. 반드시 본 대학교에서 지급한 필기구를 사용하여야 한다.

마. 수정할 부분이 있는 경우 수정도구를 사용하지 말고 원고지 교정법에 의하여 교정하여야 한다.

바. 본 대학교에서 지급한 필기구를 사용하지 않거나, 수정도구를 사용한 경우, 답안지에 특별한 표시를 한 경우, 또는 원고지의 일정분량 이상을 작성하지 않은 경우에는 감점 또는 0점 처리한다.

사례 2)

Ⅰ. 필요한 경우 한 개 또는 여러 개의 제시문을 선택하여 논의를 전개하고, 사용한 제시문은 꼭 참고문헌 형태로 표시하시오.

　　예) …[제시문 1-4].

　　예) …되며[제시문 2-4], …의 경우는 ~을 보여준다[제시문 2-1].

Ⅱ. [문제 1]부터 [문제 4]까지 문제 번호를 쓰고 순서대로 답하시오.

Ⅲ. 연필을 사용하지 말고, 흑색이나 청색 필기구를 사용하시오.

Ⅳ. 인적사항과 관련된 표현을 일절 쓰지 마시오.

Ⅴ. 문제당 배점은 동일함.

사례 3)

◇ 각 문제의 답안은 배부된 OMR 답안지에 표시된 문제지 번호에 맞춰 작성하시오.

◇ 각 문제마다 정해진 글자수(분량)는 띄어쓰기를 포함한 것이며, 정해진 분량에 미달하

거나 초과하면 감점 요인이 됩니다.

◇ 답안지의 수험번호는 반드시 컴퓨터용 수성 사인펜으로 표기하시오.

◇ 답안은 검정색 필기구로 작성하시오. (연필 사용 가능)

◇ 답안 수정시 원고지 교정법을 활용하시오. (수정 테이프 또는 연필지우개 사용 가능)

◇ 답안 내용 및 답안지 여백에는 성명, 수험번호 등 개인 신상과 관련된 어떤 내용, 불필요한 기표하면 감점 처리됩니다.

사례 4)

◆ 답안 작성 시 유의사항 ◆

□ 논술고사 시간은 90분이며, 답안의 자수 제한은 없습니다.

□ 1번 문항의 답은 답안지 1면에 작성해야 하고, 2번 문항의 답은 답안지 2면에 작성해야 합니다. 1, 2번을 바꾸어 작성하는 경우 모두 '0점 처리'됩니다.

□ 연습지는 별도로 제공하지 않습니다. 필요한 경우 문제지의 여백을 이용하시기 바랍니다.

□ 답안은 검정색 또는 파란색 펜으로만 작성하며 연필, 샤프는 사용할 수 없습니다.

□ 답안 수정은 수정할 부분에 두 줄로 긋거나 수정테이프(수정액은 사용 불가)를 사용해서 수정합니다.

□ 답안지에는 답 이외에 아무 표시도 해서는 안 됩니다.

□ 답안지 교체는 고사 시작 후 70분까지 가능하며, 그 이후는 교체가 불가합니다.

2. 제시문에 먼저 눈을 두지 말고 문제를 파악하라!!!

대학별 고사인 논술의 어려운 점은 시간의 제한이 있는 글쓰기 시험이라는 것이다. 자유롭게 잘 쓸 수 있는 내용일지라도 시간의 제한이 있으면 얘기가 달라진다. 특히 지금과 같이 각 대학별로 다양하게 등장하는 시험에 익숙하지 않은 수험생에게는 더 큰 부담으로 작용을 한다.

대학에서는 다양하게 제시문과 문제를 분포시킨다. 문제를 등장시키고 제시문이 등장하는 경우, 그림과 도표, 그래프 등과 같이 자료를 제시하고 제시문과 문제를 함께 등장시키는 경우, 제시문을 많이 등장시키고 마지막에 문제를 제시하는 경우 등... 이렇듯 다양한 문제에 시간의 적절한 활용은 대학별 고사의 실전에서는 당락을 결정하는 중요 요소이다.

이러한 실전적 논술에서 핵심은 바로 목적을 가지고 제시문의 읽기가 선행되어야 한다. 글 읽기의 핵심은 문제를 통해 논제를 구체적으로 파악하고 그 논제에 부합하게 제시문을 분석하는 것이다.

① 문제를 먼저 확인하라!! - 제시문을 읽고 문제를 보면 다시 긴 제시문을 또 읽어 시간을 낭비한다.

② 세부 논제 확인하라!! - 한 문제라도 그 문제 속에 다루는 논제는 여러 개가 될 수 있

다. 그 질문 내용을 파악하라. 그리고 요구한 논제에 맞게 글을 구성한다.

 ③ 전제적 요건 파악하라!! - 각 문제의 전제적 요건 및 글로 표현된 부연 설명 등이 중요한 키워드가 될 수 있다.

V. 서울과학기술대학교 기출

1. 2024학년도 서울과기대 수시 논술 (오전)

[문제 1] 다음 물음에 답하시오.

[1.1] 이차함수 $f(x) = kx^2 - (k+4)x + k + 2$에 대하여, $y = f(x)$의 그래프와 x축과의 교점이 $(\sin\theta, 0)$, $(\cos\theta, 0)$이다. 이때 모든 θ값들의 합을 구하시오. (단, $0 < \theta < 2\pi$, k는 상수)

[1.2] 최고차항의 계수가 1인 사차함수 $f(x)$가 다음 두 조건을 만족할 때, $f(x)$를 구하시오.

(가) $f'(-x) = -f'(x)$이다.

(나) $f(x)$는 $x = 2$에서 극솟값 -13을 갖는다.

[1.3] 높이가 1인 입체도형이 있다. 밑면으로부터의 높이가 $x(0 \le x \le 1)$인 지점에서 밑면과 평행한 평면으로 자른 단면이 가로의 길이가 2^x이고 세로의 길이가 $x+1$인 직사각형일 때, 이 입체도형의 부피를 구하시오.

[문제 2] 다음 제시문을 읽고 물음에 답하시오.

> (가) 곡선 $y = \sqrt{x}$ 위에 서로 다른 두 점 $A(t, \sqrt{t})$, $B(9t, 3\sqrt{t})$가 있다.
> (나) x축 위의 점 P는 삼각형 APB의 둘레의 길이를 최소로 하는 위치에 있다.

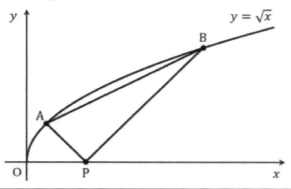

[2.1] 점 P의 x좌표를 t에 대한 식으로 나타내시오.

[2.2] 곡선 $y = \sqrt{x}$ 위의 두 점 A, B에서의 접선을 각각 l_1, l_2라 하자. l_1과 l_2의 교점을 점 Q라 할 때, $\tan(\angle PQO)$를 t에 대한 식으로 나타내시오. (단, O는 원점)

[2.3] $\angle APB$를 θ라 하자. $\cos\theta + \dfrac{1}{\cos\theta} = -\dfrac{10}{3}$일 때, t의 값을 구하시오.

42

[문제 3] 다음 제시문을 읽고 물음에 답하시오.

> (가) 중심이 원점 $O(0, 0)$이고 반지름의 길이가 $3, 9, 27, \cdots, 3^n, \cdots$인 원이 좌표평면 위에 있다. (단, n은 자연수)
>
> (나) 좌표평면 위를 시각 $t=0$에서 $t=\pi$까지 점 P가 움직인다. 이 점 P의 위치 (x, y)는 $x=e^{2t}\cos t$, $y=e^{2t}\sin t$이다.
>
> (다) 점 P가 움직이는 동안 만난 원의 개수를 N이라 하자.
>
> (라) 필요할 경우, $1.09 < \ln 3 < 1.10$을 이용한다.

[3.1] N을 구하시오.

[3.2] 점 P가 반지름의 길이가 3^N인 원을 만날 때까지, 점 P가 움직인 거리를 구하시오.

[3.3] 급수 $\displaystyle\sum_{k=N}^{\infty}\left(-\frac{1}{2}\right)^{k-1}\int_{k-1}^{k}\pi\sin(\pi x)dx$의 합을 구하시오.

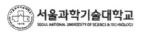

서울과학기술대학교
SEOUL NATIONAL UNIVERSITY OF SCIENCE & TECHNOLOGY

2024학년도 답안지(자연계열)

모 집 단 위

성 명

고 사 시 간			
오 전	○	오 후	●

수험번호(수능 수험번호 아님)

2	2	1	0	8						

주민번호 앞자리(예:030415)

※ 수험번호, 주민번호 앞자리 누락 혹은 잘못
기입할 시 채점대상에서 제외할 수 있음

【유의사항】
① 반드시 검정색 필기구만 사용
② 수험번호 및 주민번호란에 아라비아 숫자로 쓰고
○안에 ●마킹
③ 답안지에 답 이외의 특정 표시 불가함
④ 답안지는 1매만 사용해야 하며, 2매 사용 시 무효(0점) 처리
⑤ 답안지를 수정할 경우 두 줄을 그어 수정
⑥ 해당 답안란에 답안을 작성할 것, 답안 영역을 벗어난 내용에
대해서는 채점이 불가함.

※ 감 독 관 확 인 란 (서명)

[문제1] 반드시 [문제1]의 답안을 작성할 것. [문제1]의 답안이 아닐 경우 0점 처리함.

※ 공란(실선 아래에 답안을 작성하거나 낙서를 할 경우 판독이 불가능하여 채점불가)

서울과학기술대학교
SEOUL NATIONAL UNIVERSITY OF SCIENCE & TECHNOLOGY

[문제2] 반드시 [문제2]의 답안을 작성할 것. [문제2]의 답안이 아닐 경우 0점 처리함.

[문제3] 반드시 [문제3]의 답안을 작성할 것. [문제3]의 답안이 아닐 경우 0점 처리함.

2. 2024학년도 서울과기대 수시 논술 (오후)

[문제 1] 다음 물음에 답하시오.

[1.1] 함수 $f(x) = \dfrac{1}{4}x^2 + x + 3$에 대하여 $y = f(x)$의 그래프와 이를 x축에 대하여 대칭이 동한 후 x축의 방향으로 2만큼 평행 이동한 $y = g(x)$의 그래프가 있다. 이 두 그래 프와 동시에 접하는 직선의 방정식을 모두 구하시오.

[1.2] 함수 $f(x) = a^x + b\,(a > 0)$에 대하여 $y = f(x)$의 그래프와 그 역함수의 그래프가 두 점에서 만난다. 이 두 점의 x좌표가 각각 1, 2일 때, $a - b$의 값을 구하시오.

[1.3] 함수 $f(\theta) = \dfrac{2 + \tan^2\theta}{2 - \tan\theta}$의 최솟값을 구하시오. (단, $-\dfrac{\pi}{4} \le \theta \le \dfrac{\pi}{4}$)

[문제 2] 다음 제시문을 읽고 물음에 답하시오.

(가) <그림 1>은 넓이가 1인 정사각형을 작은 정사각형 n^2개로 등분한 것이다.

(단, n은 자연수)

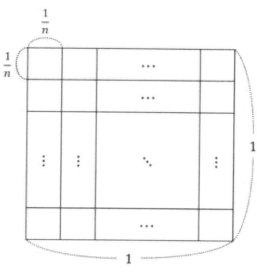

<그림 1>

(나) <그림 >에 있는 선분만으로 이루어진 서로 다른 사각형을 찾으려고 한다. <그림 2>와 같이 $n=2$인 경우 모두 9개의 서로 다른 사각형을 찾을 수 있다.

<그림 2>

(다) $n=k$일 때 찾을 수 있는 가장 작은 사각형의 넓이를 a_k라 하자.

[2.1] $n=9$일 때 찾을 수 있는 서로 다른 사각형의 개수를 구하시오.

[2.2] $n=9$일 때 찾을 수 있는 서로 다른 사각형 중 넓이가 a_8보다 큰 사각형의 개수를 구하시오.

[2.3] $m \geq 2$인 모든 자연수 m에 대하여 다음 명제 $p(m)$이 성립함을 수학적 귀납법으로 증명하시오.

$p(m)$: $n=m$일 때 찾을 수 있는 두 번째로 넓이가 큰 사각형의 넓이는 $S_m = \sum_{k=2}^{m} a_k$보다 항상 크다.

[문제 3] 다음 제시문을 읽고 물음에 답하시오.

> 자연수 n에 대하여, 곡선 $y = 2e^x \sin x$와 x축 및 두 직선 $x = 2n\pi$, $x = (2n+2)\pi$로 둘러싸인 도형의 넓이를 A_n이라 하자.

[3.1] 부정적분 $\displaystyle\int 2e^x \sin x \, dx$를 구하시오.

[3.2] A_n을 구하시오.

[3.3] 극한값 $\displaystyle\lim_{n \to \infty} \sum_{k=1}^{n} \frac{1}{n^8} \left\{ \ln A_k - 2\ln(1+e^\pi) \right\}^7$을 구하시오.

서울과학기술대학교
SEOUL NATIONAL UNIVERSITY OF SCIENCE & TECHNOLOGY

2024학년도 답안지(자연계열)

모 집 단 위

성 명

고 사 시 간			
오 전	○	오 후	●

수험번호(수능 수험번호 아님)

2	2	1	0	8					

주민번호 앞자리(예:030415)

※ 수험번호, 주민번호 앞자리 누락 혹은 잘못
   기입할 시 채점대상에서 제외될 수 있음

【유의사항】
① 반드시 검정색 필기구만 사용
② 수험번호 및 주민번호란에 아라비아 숫자로 쓰고
   ○안에 ●마킹
③ 답안지에 답 이외의 특정 표시 불가함
④ 답안지는 1매만 사용해야 하며, 2매 사용 시 무효(0점) 처리
⑤ 답안지를 수정할 경우 두 줄을 그어 수정
⑥ 해당 답안란에 답안을 작성할 것, 답안 영역을 벗어난 내용에
   대해서는 채점이 불가함.

※ 감 독 관 확 인 란 (서명)

[문제1] 반드시 [문제1]의 답안을 작성할 것, [문제1]의 답안이 아닐 경우 0점 처리함.

서울과학기술대학교
SEOUL NATIONAL UNIVERSITY OF SCIENCE & TECHNOLOGY

※ 공란(실선 아래에 답안을 작성하거나 낙서를 할 경우 판독이 불가능하여 채점불가)

[문제2] 반드시 [문제2]의 답안을 작성할 것. [문제2]의 답안이 아닐 경우 0점 처리함.　　[문제3] 반드시 [문제3]의 답안을 작성할 것. [문제3]의 답안이 아닐 경우 0점 처리함.

3. 2024학년도 서울과기대 모의 논술

[문제 1] 다음 물음에 답하시오.

[1.1] 두 집합 $X=\{1,\ 2,\ 3,\ 4,\ 5,\ 6\}$, $Y=\{2,\ 3,\ 4,\ 5,\ 6,\ 7,\ 8\}$에 대하여 다음 조건을 만족하는 함수 $f:X\to Y$의 개수를 구하시오.

> (가) x가 홀수일 때 $f(x)$는 소수이다.
>
> (나) x가 짝수일 때 $f(x)$는 짝수이다.
>
> (다) $x_1<x_2$이면 $f(x_1)<f(x_2)$이다.

[1.2] 그림과 같이 반지름의 길이가 1이고 중심각이 $\dfrac{\pi}{4}$인 부채꼴 P_1OQ_1이 있다. 점 Q_1에서 선분 OP_1에 내린 수선의 발을 P_2라 하고, 선분 OQ_1위에 $\overline{OP_2}=\overline{OQ_2}$인 점 Q_2를 택하여 중심각이 $\dfrac{\pi}{4}$인 부채꼴 P_2OQ_2를 부채꼴 P_1OQ_1의 내부에 그린다. 점 Q_2에서 선분 OP_2에 내린 수선의 발을 P_3, 선분 OQ_2위에 $\overline{OP_3}=\overline{OQ_3}$인 점 Q_3을

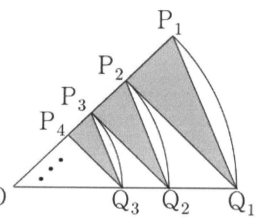

택하여 중심각인 $\dfrac{\pi}{4}$인 부채꼴 P_3OQ_3을 부채꼴 P_2OQ_2의 내부에 그린다. 이와 같은 방법으로 부채꼴을 한없이 그려 나간다. 삼각형 $Q_nP_nP_{n+1}$의 넓이를 a_n이라 할 때, 급수 $\displaystyle\sum_{n=1}^{\infty}a_n$의 합을 구하시오.

[1.3] 높이가 a^2인 입체도형이 있다. 이 입체도형의 밑면으로부터 높이가 x인 지점에서 밑면에 평행한 평면으로 자른 단면이, 반지름의 길이가 $\sqrt{a^2-x}$인 원 일 때, 이 입체도형의 부피를 V_1이라 하자. 또 다른 입체도형은, 높이가 a이며, 밑면으로부터 높이가 x인 지점에서 밑면에 평행한 평면으로 자른 단면이, 반지름의 길이가 $(a-x)^2$인 원 일 때, 이 입체도형의 부피를 V_2라 하자. $V_1=V_2$일 때, 양수 a를 구하시오.

[문제 2] 다음 물음에 답하시오.

양수 a에 대하여, 함수 $f(x)$를 다음과 같이 정의한다.
$$f(x) = x^3 - 3ax$$

[2.1] 양수 c에 대하여 직선 $y=c$와 곡선 $y=f(x)$의 교점의 개수가 2개일 때, c를 a에 관한 식으로 나타내시오.

[2.2] 문항 [2.1]에서 구한 c에 대하여, 직선 $y=c$와 곡선 $y=f(x)$로 둘러싸인 도형의 넓이 S를 a에 관한 식으로 나타내시오.

[2.3] 문항 [2.2]에서 구한 S에 대하여, $3 \le a \le 5$인 범위에서 $\dfrac{4S}{27(a-2)^2(6-a)}$의 최솟값을 구하시오.

[문제 3] 다음 물음에 답하시오.

함수 $f(x) = \dfrac{\cos x}{x^2}(x > 0)$에 대하여 곡선 $y = f(x)$와 x축과의 교점을 x좌표가 작은 것부터 차례대로 $P_1(x_1,\ 0)$, $P_2(x_2,\ 0)$, $P_3(x_3,\ 0)$, $\cdots$이라고 하자. 또 $n = 1,\ 2,\ 3,\ \cdots$에 대하여 점 P_n에서 곡선 $y = f(x)$의 접선이 y축과 만나는 점을 $Q_n(0,\ y_n)$이라고 하자.

[3.1] $n = 1,\ 2,\ 3,\ \cdots$에 대하여 x_n을 구하시오.

[3.2] $n = 1,\ 2,\ 3,\ \cdots$에 대하여 y_n을 구하시오.

[3.3] $n = 1,\ 2,\ 3,\ \cdots$에 대하여 삼각형 $P_n P_{n+1} Q_n$의 넓이를 A_n이라고 할 때, $\displaystyle\sum_{n=1}^{10} A_n A_{n+1}$의 값을 구하시오.

[3.4] 문항 [3.3]에서 구한 A_n에 대하여 급수 $\displaystyle\sum_{n=1}^{\infty} A_n A_{n+1}$의 합을 구하시오.

서울과학기술대학교
SEOUL NATIONAL UNIVERSITY OF SCIENCE & TECHNOLOGY

2024학년도 답안지(자연계열)

모 집 단 위

성 명

고 사 시 간			
오 전	○	오 후	●

수험번호(수능 수험번호 아님)

2	2	1	0	8						

(마킹표 - 수험번호)

주민번호 앞자리(예:030415)

(마킹표 - 주민번호 앞자리)

※ 수험번호, 주민번호 앞자리 누락 혹은 잘못
   기입할 시 채점대상에서 제외할 수 있음

【유의사항】
① 반드시 검정색 필기구만 사용
② 수험번호 및 주민번호란에 아라비아 숫자로 쓰고
   ○안에 ●마킹
③ 답안지에 답 이외의 특정 표시 불가함
④ 답안지는 1매만 사용해야 하며, 2매 사용 시 무효(0점) 처리
⑤ 답안지를 수정할 경우 두 줄을 그어 수정
⑥ 해당 답안란에 답안을 작성할 것, 답안 영역을 벗어난 내용에
   대해서는 채점이 불가함.

※ 감 독 관 확 인 란 (서명)

[문제1] 반드시 [문제1]의 답안을 작성할 것. [문제1]의 답안이 아닐 경우 0점 처리함.

※ 공란(실선 아래에 답안을 작성하거나 낙서를 할 경우 판독이 불가능하여 채점불가)

서울과학기술대학교
SEOUL NATIONAL UNIVERSITY OF SCIENCE & TECHNOLOGY

서울과학기술대학교

[문제2] 반드시 [문제2]의 답안을 작성할 것. [문제2]의 답안이 아닐 경우 0점 처리함.

[문제3] 반드시 [문제3]의 답안을 작성할 것. [문제3]의 답안이 아닐 경우 0점 처리함.

서울과학기술대학교

서울과학기술대학교

※ 공란(실선 위에 답안을 작성하거나 낙서를 할 경우 판독이 불가능하여 채점불가)

4. 2023학년도 서울과기대 수시 논술 (오전)

[문제 1] 다음 물음에 답하시오.

[1.1] 곡선 $y = \sqrt{x}$ 위의 점 $P_1(a_1, b_1)$에서의 접선이 y축과 만나는 점을 $Q_2(0, b_2)$라 하고, 점 Q_2를 지나며 x축에 평행한 직선과 곡선의 교점을 $P_2(a_2, b_2)$라 하자. 곡선 $y = \sqrt{x}$ 위의 점 $P_2(a_2, b_2)$에서의 접선이 y축과 만나는 점을 $Q_3(0, b_3)$이라 하고, 점 Q_3을 지나며 x축에 평행한 직선과 곡선의 교점을 $P_3(a_3, b_3)$이라 하자. 이와 같은 과정을 반복하여 얻은 점 $P_n(a_n, b_n)$에 대하여 급수 $\displaystyle\sum_{n=1}^{\infty} a_n$의 합을 구하시오. (단, $a_1 = 4$)

[1.2] 함수 $f(x) = \dfrac{\sin x + 3}{\cos x - 1}$ $(0 < x < 2\pi)$이 $x = \alpha$에서 극값을 가질 때, $\sin\left(2\alpha + \dfrac{\pi}{4}\right)$의 값을 구하시오.

[1.3] 아래 그림은 곡선 $y = 14\sqrt{x}\,e^x$과 x축, 두 직선 $x = \dfrac{1}{2}$, $x = 1$로 둘러싸인 도형을 밑면으로 하는 입체도형을 나타낸다. 이 입체도형을 x축에 수직인 평면으로 자른 단면은 $\overline{PQ} : \overline{QR} : \overline{RP} = 5 : 6 : 7$인 삼각형 PQR일 때, 이 입체도형의 부피를 구하시오.

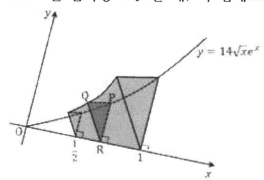

[문제 2] 다음 물음에 답하시오.

아래 그림과 같이 램프에서 나온 빔이, xy평면에서 중심이 원점이고 반지름의 길이가 2인 원과 원의 내부를 비추고 있다.

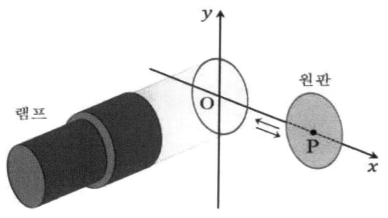

(가) 반지름의 길이가 2인 불투명 원판의 중심인 점 P는 x축 위를 연속적으로 움직인다. $x=7$에서 출발한 점 P의 시각 $t\,(0 \le t \le 8)$에서의 위치를 $x=f(t)$라 할 때, 점 P의 속도 $v(t)$는

$$v(t) = \begin{cases} -2t & (0 \le t < 2) \\ 2t-8 & (2 \le t < 6) \\ -2t+16 & (6 \le t \le 8) \end{cases}$$

이다.

(나) 원판이 빔에 닿거나 비추어질 때, 원판에 연결된 센서에서 소리가 난다.

[2.1] 점 P의 시각 t에서의 위치 $f(t)$를 구하시오.

[2.2] 점 P의 위치가 $x=2\sqrt{2}$일 때, 빔이 원판에 비친 부분의 넓이를 구하시오.

[2.3] $t=4-\sqrt{3}$일 때, 빔이 원판에 비친 부분의 넓이를 구하시오.

[2.4] 센서에서 소리가 나는 시각 t의 범위를 구하시오.

[문제 3] 두 함수 $f(x) = \begin{cases} a\ln x + 6 & (0 < x \le 1) \\ bx + 12 & (x > 1) \end{cases}$, $g(x) = -3x^2 + 6x + c$에 대하여 다음 물음에 답하시오.

[3.1] 함수 $f(x)$가 $x = 1$에서 미분가능할 때, 상수 a, b의 값을 구하시오.

[3.2] 문항 [3.1]을 만족시키는 상수 a, b에 대하여, 방정식 $f(x) = g(x)$의 서로 다른 실근의 개수를 실수 c의 값의 범위에 따라 구하시오.

[3.3] 문항 [3.1]을 만족시키는 상수 a, b에 대하여 방정식 $f(x) = g(x)$가 1개의 실근을 가질 때, 두 곡선 $y = f(x)$, $y = g(x)$와 직선 $x = \dfrac{1}{2}$로 둘러싸인 도형의 넓이를 구하시오.

58

 **서울과학기술대학교**
SEOUL NATIONAL UNIVERSITY OF SCIENCE & TECHNOLOGY

2024학년도 답안지(자연계열)

모 집 단 위

성 명

교 사 시 간			
오 전	○	오 후	●

수험번호(수능 수험번호 아님)

2	2	1	0	8					

주민번호 앞자리(예:030415)

※ 수험번호, 주민번호 앞자리 누락 혹은 잘못
  기입할 시 채점대상에서 제외할 수 있음

【유의사항】
① 반드시 검정색 필기구만 사용
② 수험번호 및 주민번호란에 아라비아 숫자로 쓰고
  ○안에 ●마킹
③ 답안지에 답 이외의 특정 표시 불가함
④ 답안지는 1매만 사용해야 하며, 2매 사용 시 무효(0점) 처리
⑤ 답안지를 수정할 경우 두 줄을 그어 수정
⑥ 해당 답안란에 답안을 작성할 것, 답안 영역을 벗어난 내용에
  대해서는 채점이 불가함

※ 감 독 관 확 인 란 (서명)

[문제1] 반드시 [문제1]의 답안을 작성할 것. [문제1]의 답안이 아닐 경우 0점 처리함.

서울과학기술대학교 SEOUL NATIONAL UNIVERSITY OF SCIENCE & TECHNOLOGY

[문제2] 반드시 [문제2]의 답안을 작성할 것. [문제2]의 답안이 아닐 경우 0점 처리함.

[문제3] 반드시 [문제3]의 답안을 작성할 것. [문제3]의 답안이 아닐 경우 0점 처리함.

5. 2023학년도 서울과기대 수시 논술 (오후)

[문제 1] 다음 물음에 답하시오.

[1.1] 서로 다른 강아지 4마리와 고양이 5마리 중에서 일부를 선물하려고 한다. 다음을 구하시오.

(1) 연수에게 3마리를 주려고 할 때, 강아지와 고양이를 적어도 1마리씩 주는 경우의 수

(2) 민수와 창수에게 각각 2마리를 주는 경우의 수 (단, 민수에게 고양이를 적어도 1마리 준다면, 창수에게는 강아지를 적어도 1마리 준다.)

[1.2] 수열 $\{a_n\}$이 모든 자연수 n에 대하여

$$a_1 + \frac{a_2}{2} + \cdots + \frac{a_n}{n} = \frac{n(n+5)}{2}$$

를 만족시키고

$$T_n = \frac{1}{a_1} + \frac{1}{a_2} + \cdots + \frac{1}{a_n}$$

이라 할 때, $\lim_{n \to \infty} T_n$의 값을 구하시오.

[1.3] 실수 전체에서 미분가능한 두 함수 $f(x)$, $g(x)$가 다음 두 조건을 모두 만족시킬 때, $g'(3)$의 값을 구하시오.

(가) 모든 실수 x에 대하여 $g(x) = x^2 f(x) - 16$

(나) $\lim_{x \to 3} \dfrac{f(x) - g(x)}{x - 3} = -4$

[문제 2] 다음 물음에 답하시오.

아래 그림은 중심이 점 C(2, 0)이고 반지름의 길이가 2인 원과 그 위의 점 P를 지나는 직선을 나타낸다.

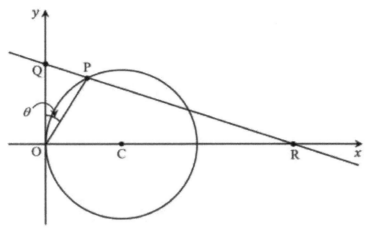

(가) 점 P는 제 1사분면에 있고, y축과 선분 OP가 이루는 예각을 θ라 하자.

(나) 점 Q는 y축 위에 있고, 선분 OQ의 길이는 호 OP의 길이와 같다.

(다) 두 점 P, Q를 지나는 직선이 x축과 만나는 점은 R이다.

(라) 호 OP와 선분 OP로 둘러싸인 도형의 넓이를 S_1, 삼각형 ORP의 넓이를 S_2, $f(\theta) = \dfrac{S_1 \times S_2}{\theta}$ 라 하자.

[2.1] $\angle$OCP의 크기를 θ에 대한 식으로 나타내시오.

[2.2] S_1을 θ에 대한 식으로 나타내시오.

[2.3] $\theta = \dfrac{\pi}{6}$일 때, 두 점 P, Q를 지나는 직선의 기울기를 구하시오.

[2.4] $0 < \theta < \dfrac{\pi}{2}$일 때, 함수 $f(\theta)$의 최댓값을 구하시오.

[문제 3] 다음 물음에 답하시오.

아래 그림은 세 곡선 $y=f(x)$, $y=g(x)$, $y=h(x)$와 직선 $y=t$를 나타낸다. (단, $\dfrac{5}{2}<t<5$)

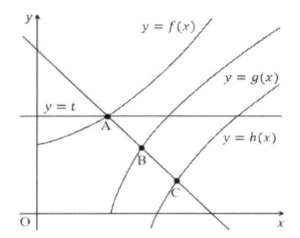

(가) $f(x)=\dfrac{1}{9}(x+1)^2+2 \ (x\geq 0)$, $g(x)$는 함수 $f(x)$의 역함수, $h(x)=3\sqrt{x-3}-2$이다.

(나) 직선 $y=t$와 곡선 $y=f(x)$가 만나는 점을 A라 하자.

(다) 점 A를 지나고 기울기가 -1인 직선이 두 곡선 $y=g(x)$, $y=h(x)$와 만나는 점을 각각 B, C라 하자.

[3.1] 선분 BC의 길이를 구하시오.

[3.2] $\overline{AB}=\overline{BC}$를 만족시키는 t의 값을 구하시오.

[3.3] 문항 [3.2]를 만족시키는 t에 대하여, 곡선 $y=f(x)$와 이 곡선 위의 점 A에서의 접선 및 y축으로 둘러싸인 도형의 넓이를 구하시오.

서울과학기술대학교
SEOUL NATIONAL UNIVERSITY OF SCIENCE & TECHNOLOGY

2024학년도 답안지(자연계열)

모 집 단 위

성 명

고 사 시 간		
오 전 ○	오 후 ●

수험번호(수능 수험번호 아님)

2	2	1	0	8						
⓪	⓪	⓪	●	⓪	⓪	⓪	⓪	⓪	⓪	⓪
①	①	●	①	①	①	①	①	①	①	①
●	●	②	②	②	②	②	②	②	②	②
③	③	③	③	③	③	③	③	③	③	③
④	④	④	④	④	④	④	④	④	④	④
⑤	⑤	⑤	⑤	⑤	⑤	⑤	⑤	⑤	⑤	⑤
⑥	⑥	⑥	⑥	⑥	⑥	⑥	⑥	⑥	⑥	⑥
⑦	⑦	⑦	⑦	⑦	⑦	⑦	⑦	⑦	⑦	⑦
⑧	⑧	⑧	●	⑧	⑧	⑧	⑧	⑧	⑧	⑧
⑨	⑨	⑨	⑨	⑨	⑨	⑨	⑨	⑨	⑨	⑨

주민번호 앞자리(예:030415)

⓪	⓪	⓪	⓪	⓪	⓪
①	①	①	①	①	①
②	②	②	②	②	②
③	③	③	③	③	③
④	④	④	④	④	④
⑤	⑤	⑤	⑤	⑤	⑤
⑥	⑥	⑥	⑥	⑥	⑥
⑦	⑦	⑦	⑦	⑦	⑦
⑧	⑧	⑧	⑧	⑧	⑧
⑨	⑨	⑨	⑨	⑨	⑨

※ 수험번호, 주민번호 앞자리 누락 혹은 잘못
기입할 시 채점대상에서 제외할 수 있음

【유의사항】
① 반드시 검정색 필기구만 사용
② 수험번호 및 주민번호란에 아라비아 숫자로 쓰고
○안에 ●마킹
③ 답안지에 답 이외의 특정 표시 불가함
④ 답안지는 1매만 사용해야 하며, 2매 사용 시 무효(0점) 처리
⑤ 답안지를 수정할 경우 두 줄을 그어 수정
⑥ 해당 답안란에 답안을 작성할 것. 답안 영역을 벗어난 내용에
대해서는 채점이 불가함.

톡 감 독 관 확 인 란 (서명)

[문제1] 반드시 [문제1]의 답안을 작성할 것. [문제1]의 답안이 아닐 경우 0점 처리함.

※ 공란(실선 아래에 답안을 작성하거나 낙서를 할 경우 판독이 불가능하여 채점불가)

🏛 서울과학기술대학교
SEOUL NATIONAL UNIVERSITY OF SCIENCE & TECHNOLOGY

[문제2] 반드시 [문제2]의 답안을 작성할 것. [문제2]의 답안이 아닐 경우 0점 처리함.

[문제3] 반드시 [문제3]의 답안을 작성할 것. [문제3]의 답안이 아닐 경우 0점 처리함.

6. 2023학년도 서울과기대 모의 논술

[문제 1] 다음 물음에 답하시오.

[1.1] 집합 $\{-1,\ 1,\ 3\}$이 함수 $f(x) = a\sin x + a^2 - 3$의 치역에 포함되기 위한 a의 최솟값을 구하시오.

[1.2] 등비수열 $\{a_n\}$과 수열 $\{b_n\}$이 다음 조건을 만족할 때, $\{a_n\}$의 공비를 구하시오.(단, $a_1 \neq 0$)

(1) 급수 $\displaystyle\sum_{n=1}^{\infty} a_n$이 수렴

(2) $\displaystyle\lim_{n\to\infty} b_n = 2a_1$

(3) $\displaystyle\sum_{n=1}^{\infty} a_n = \lim_{n\to\infty}(a_n + b_n)$

[1.3] 함수 $f(x) = \dfrac{1}{1+e^{-x}}$, $g(x) = \ln\dfrac{x}{1-x}$에 대하여, $h(x) = g(f(x))$로 정의할 때 $h'(x)$를 구하시오.

[문제 2] 다음 물음에 답하시오.

곡선 $y = \frac{1}{2}x^2 + \frac{1}{2}$ 위의 점 $\mathrm{A}\left(a, \frac{1}{2}a^2 + \frac{1}{2}\right)$에서의 접선을 l_1이라 하자. (단, $a \neq 0$) 직선 l_1과 수직이고, 곡선 $y = \frac{1}{2}x^2 + \frac{1}{2}$에 접하는 직선을 l_2라 하자. 이때 점 B는 l_2와 곡선 $y = \frac{1}{2}x^2 + \frac{1}{2}$의 접점이다.

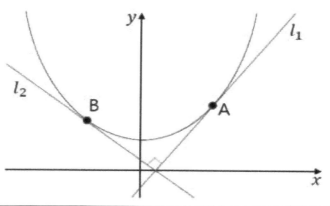

[2.1] 직선 l_2의 방정식을 구하시오.

[2.2] 두 직선 l_1과 l_2의 교점을 P라 할 때, 점 P는 항상 x축 위의 점임을 보이시오.

[2.3] 점 A에서 x축에 내린 수선의 발을 H라 하고 점 H를 지나며 l_2와 평행인 직선을 l_3이라 할 때, 직선 l_3의 방정식을 구하시오.

[2.4] 점 B에서 x축에 내린 수선의 발을 H′이라 하고 점 H′을 지나며 l_1과 평행인 직선을 l_4라 하자. 두 직선 l_3과 l_4의 교점을 Q라 할 때, 점 Q의 좌표를 구하시오.

[문제 3] 다음 물음에 답하시오.

> **(가)** 수렴하는 두 수열 $\{a_n\}$, $\{b_n\}$에 대하여 $\lim\limits_{n\to\infty} a_n = \lim\limits_{n\to\infty} b_n = \alpha$이고, 수열 $\{c_n\}$이 모든 자연수 n에 대하여 $a_n \le c_n \le b_n$이면 $\lim\limits_{n\to\infty} c_n = \alpha$이다.
>
> **(나)** 등비수열 $\{r^n\}$에서 $-1 < r < 1$이면 $\lim\limits_{n\to\infty} r^n = 0$이고, $r > 1$이거나 $r \le -1$이면 수열 $\{r^n\}$은 발산한다.
>
> **(다)** 양의 상수 k에 대하여
> $$f(x) = \lim_{n\to\infty} \frac{x^{n+1}\sin kx + x}{x^n + x\cos\dfrac{\pi x}{2} + 1}$$
> 라 하자. (단, $1 \le x \le 2$, n은 자연수)

[3.1] $f(1)$의 값을 구하시오.

[3.2] $1 < x \le 2$일 때, 함수 $f(x)$를 구하시오.

[3.3] 함수 $f(x)$가 닫힌구간 $[1, 2]$에서 연속이 되도록 하는 가장 작은 상수 k의 값을 구하시오.

[3.4] 문항 [3.3]에서 구한 k값에 대하여 곡선 $y = f(x)$와 x축 및 두 직선 $x = 1$, $x = 2$로 둘러싸인 도형의 넓이를 구하시오.

서울과학기술대학교
SEOUL NATIONAL UNIVERSITY OF SCIENCE & TECHNOLOGY

2024학년도 답안지(자연계열)

모 집 단 위

성 명

고 사 시 간			
오 전	○	오 후	●

수험번호(수능 수험번호 아님)

2	2	1	0	8					
⓪	⓪	⓪	●	⓪	⓪	⓪	⓪	⓪	⓪
①	①	●	①	①	①	①	①	①	①
●	●	②	②	②	②	②	②	②	②
③	③	③	③	③	③	③	③	③	③
④	④	④	④	④	④	④	④	④	④
⑤	⑤	⑤	⑤	⑤	⑤	⑤	⑤	⑤	⑤
⑥	⑥	⑥	⑥	⑥	⑥	⑥	⑥	⑥	⑥
⑦	⑦	⑦	⑦	⑦	⑦	⑦	⑦	⑦	⑦
⑧	⑧	⑧	●	⑧	⑧	⑧	⑧	⑧	⑧
⑨	⑨	⑨	⑨	⑨	⑨	⑨	⑨	⑨	⑨

주민번호 앞자리(예:030415)

⓪	⓪	⓪	⓪	⓪	⓪
①	①	①	①	①	①
②	②	②	②	②	②
③	③	③	③	③	③
④	④	④	④	④	④
⑤	⑤	⑤	⑤	⑤	⑤
⑥	⑥	⑥	⑥	⑥	⑥
⑦	⑦	⑦	⑦	⑦	⑦
⑧	⑧	⑧	⑧	⑧	⑧
⑨	⑨	⑨	⑨	⑨	⑨

※ 수험번호, 주민번호 앞자리 누락 혹은 잘못
  기입할 시 채점대상에서 제외할 수 있음

【유의사항】
① 반드시 검정색 필기구만 사용
② 수험번호 및 주민번호란에 아라비아 숫자로 쓰고
  ○안에 ●마킹
③ 답안지에 답 이외의 특정 표시 불가함
④ 답안지는 1매만 사용해야 하며, 2매 사용 시 무효(0점) 처리
⑤ 답안지를 수정할 경우 두 줄을 그어 수정
⑥ 해당 답안란에 답안을 작성할 것, 답안 영역을 벗어난 내용에
  대해서는 채점이 불가함.

※ 감 독 관 확 인 란 (서명)

[문제1] 반드시 [문제1]의 답안을 작성할 것. [문제1]의 답안이 아닐 경우 0점 처리함.

서울과학기술대학교
SEOUL NATIONAL UNIVERSITY OF SCIENCE & TECHNOLOGY

[문제2] 반드시 [문제2]의 답안을 작성할 것. [문제2]의 답안이 아닐 경우 0점 처리함.

[문제3] 반드시 [문제3]의 답안을 작성할 것. [문제3]의 답안이 아닐 경우 0점 처리함.

7. 2022학년도 서울과기대 수시 논술 (1차)

[문제 1] 다음 물음에 답하시오.

[1.1] 수열 $\{a_n\}$과 $\{b_n\}$에 대하여 $b_1 = 1$이고 $a_n^{b_n} = e$(e는 자연상수)이다. 수열 $\left\{\dfrac{1}{b_n}\right\}$이 공차가 $\ln \dfrac{2}{3}$인 등차수열일 때, 급수 $\displaystyle\sum_{n=1}^{\infty} a_n$의 합을 가하시오.

[1.2] 원점에서 출발하여 수직선 위를 움직이는 점 P의 시각 t에서의 위치는

$$x = f(t) = 2\cos(at+b)+2 \quad (a > 0,\ 0 \leq b \leq 2\pi \text{인 상수})$$

이다. 점 P의 시각 t에서의 속도 $v = f'(t)$는 최댓값이 3이고, 음이 아닌 모든 실수 t에 대하여 $c(x-2)^2 + 2v^2 = d$ (c, d는 상수)가 성립할 때, $a+b+c+d$의 값을 구하시오.

[1.3] 자연수 a, b, c, d에 대하여 $a(b+c+d) = 14$를 만족하는 순서쌍 (a, b, c, d)의 개수를 구하시오.

[문제 2] 다음 물음에 답하시오.

실수 $t\,(0<t<5)$에 대하여 직선 $y=t$가 원 $x^2+y^2=25$, 원 $x^2+y^2=64$와 제 1사분
면에서 만나는 점을 각각 A, B라고 하자.

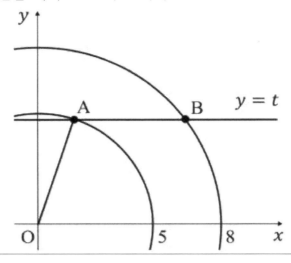

[2.1] $\overline{\mathrm{OA}}=\overline{\mathrm{AB}}$일 때, t의 값을 구하시오.

[2.2] 문항 [2.1]에서 구한 t에 대하여 $\theta_1=\angle\mathrm{OAB}$, $\theta_2=\angle\mathrm{ABO}$라고 할 때, $\cos(\theta_1-\theta_2)$
의 값을 구하시오.

[2.3] 문항 [2.1]에서 구한 t에 대하여 삼각형 AOB의 외접원의 반지름의 길이를 구하시
오.

[문제 3] 다음 물음에 답하시오.

아래 그림의 색칠한 부분과 같이 세 직선 $x = -2$, $y = 0$, $y = 2$와 곡선 $y = \sqrt{4 - x^2}$ $(0 \leq x \leq 2)$으로 둘러싸인 도형이 있다.

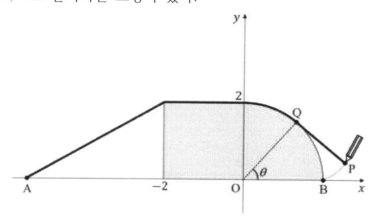

(가) 길이가 $6 + \pi$인 실의 한쪽 끝을 점 $A(-2 - 2\sqrt{3},\ 0)$에 고정하고, 다른 쪽 끝에는 연필 끝을 매달자. 도형의 둘레를 따라 실을 팽팽하게 당기면 연필 끝은 점 $B(2,\ 0)$에 놓인다.

(나) 곡선 $y = \sqrt{4 - x^2}$ $(0 \leq x \leq 2)$위의 한 점을 Q, $\theta = \angle QOB$라고 하자.

(다) 실을 팽팽하게 당기면서 움직일 때 연필 끝의 위치인 점 P가 그리는 도형을 생각하자.

[3.1] 점 Q의 좌표를 θ에 대한 식으로 나타내시오.

[3.2] 연필이 매달린 실을 점 Q에서 곡선 $y = \sqrt{4 - x^2}$의 접선 방향으로 **팽팽하게 당겼을** **때**, 점 P의 좌표를 θ에 대한 식으로 나타내시오.

[3.3] 문항 [3.2]에서 점 Q가 점 B에서 점 $(0,\ 2)$까지 곡선 $y = \sqrt{4 - x^2}$ 위를 움직일 때, 점 P가 그리는 도형의 길이를 구하시오.

[3.4] 점 P는 점 B에서 출발하여 x축과 다시 만날 때까지 반시계 방향으로 움직인다. 이때 점 P가 그리는 도형의 길이를 구하시오.

서울과학기술대학교
SEOUL NATIONAL UNIVERSITY OF SCIENCE & TECHNOLOGY

2024학년도 답안지(자연계열)

모 집 단 위

성 명

고 사 시 간			
오 전	○	오 후	●

수험번호(수능 수험번호 아님)

2	2	1	0	8					

주민번호 앞자리(예:030415)

※ 수험번호, 주민번호 앞자리 누락 혹은 잘못
기입할 시 채점대상에서 제외할 수 있음

【유의사항】
① 반드시 검정색 필기구만 사용
② 수험번호 및 주민번호란에 아라비아 숫자로 쓰고
　○안에 ●마킹
③ 답안지에 답 이외의 특정 표시 불가함
④ 답안지는 1매만 사용해야 하며, 2매 사용 시 무효(0점) 처리
⑤ 답안지를 수정할 경우 두 줄을 그어 수정
⑥ 해당 답안란에 답안을 작성할 것, 답안 영역을 벗어난 내용에
　대해서는 채점이 불가함.

※ 감 독 관 확 인 란 (서명)

(1/2)

[문제1] 반드시 [문제1]의 답안을 작성할 것. [문제1]의 답안이 아닐 경우 0점 처리함.

서울과학기술대학교
SEOUL NATIONAL UNIVERSITY OF SCIENCE & TECHNOLOGY

[문제2] 반드시 [문제2]의 답안을 작성할 것. [문제2]의 답안이 아닐 경우 0점 처리함.

[문제3] 반드시 [문제3]의 답안을 작성할 것. [문제3]의 답안이 아닐 경우 0점 처리함.

8. 2022학년도 서울과기대 수시 논술 (2차)

[문제 1] 다음 물음에 답하시오.

[1.1] 0이 아닌 실수 a에 대하여 직선 $y = ax - 3$과 곡선 $y = a\sqrt{x}$가 접할 때, 접점의 좌표와 a의 값을 구하시오.

[1.2] 두 등비수열 $\{a_n\}$, $\{b_n\}$에 대하여 $a_1 b_1 = 1$이고 $a_2 b_1 + b_2 a_1 = 0$이다. 수열 $\{c_n\}$은 첫째항이 b_1과 같고 공비가 수열 $\{a_n\}$의 공비와 같은 등비수열이고, 수열 $\{d_n\}$은 첫째항이 a_1과 같고 공비가 수열 $\{b_n\}$의 공비와 같은 등비수열이다. 급수의 합이

$$\sum_{n=1}^{\infty} c_n = 1, \ \sum_{n=1}^{\infty} d_n = 2$$

일 때, 급수 $\sum_{n=1}^{\infty} (a_n + 2b_n)$의 합을 구하시오.

[1.3] 곡선 $y = x^3 - 6x^2 + 7$과 곡선 위의 점 $(0, \ 7)$에서의 접선으로 둘러싸인 도형의 넓이를 구하시오.

[문제 2] 다음 물음에 답하시오.

아래 그림과 같이 곡선 $y = \ln x$ 위에 두 점 $A(a, \ln a)$와 $B(b, \ln b)(0 < a < b < 1)$가 있다.

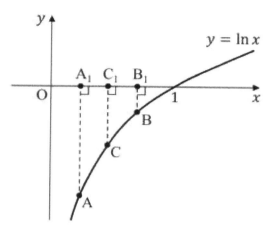

(가) 곡선 위의 점 C에서의 접선이 직선 AB와 평행하다.
(나) 점 A, B, C에서 x축에 내린 수선의 발을 각각 A_1, B_1, C_1이라고 하자.

[2.1] 점 C의 x좌표를 a와 b에 대한 식으로 나타내시오.

[2.2] 곡선 $y = \ln x$와 두 선분 AC_1, BC_1으로 둘러싸인 도형의 넓이 S를 a와 b에 대한 식으로 나타내시오.

[2.3] $b = 2a$일 때, 문항 [2.2]의 넓이 S의 최댓값을 구하시오.

[문제 3] 다음 물음에 답하시오.

아래 그림은 자동차가 점 O에서 출발하여 직선도로 OA와 AB를 거쳐 B에 이르는 경로를 보여준다.

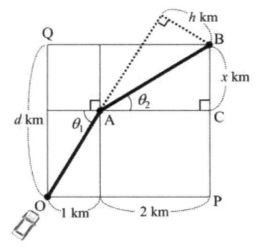

(가) 직사각형 OPBQ에서 $\overline{OP}=3$ km, $\overline{OQ}=d$ km(d는 상수)이다.

(나) 도로 OA와 AB에서 1 km를 주행하는 데 필요한 연료의 양은 각각 1과 k이다.

(다) 직선 AC가 도로 OA, AB와 이루는 예각의 크기는 각각 θ_1과 θ_2이다.

(라) 점 B와 직선 AC, 직선 OA사이의 거리는 각각 x km와 h km이다.

[3.1] 점 O에서 출발하여 직선도로 OA와 AB를 거쳐 B에 이르기까지 필요한 연료의 총량 $f(x)$를 구하시오.

[3.2] $k=\dfrac{3}{2}$일 경우에는 $x=\sqrt{2}$일 때 문항 [3.1]의 $f(x)$가 최소가 된다. 이때 θ_1의 값을 구하시오.

[3.3] $k=\dfrac{3}{2}$일 경우에는 $x=\sqrt{2}$일 때 문항 [3.1]의 $f(x)$가 최소가 된다. 이때 h의 값을 구하시오.

서울과학기술대학교
SEOUL NATIONAL UNIVERSITY OF SCIENCE & TECHNOLOGY

2024학년도 답안지(자연계열)

모 집 단 위

성 명

교 사 시 간			
오 전	○	오 후	●

수험번호(수능 수험번호 아님)

2	2	1	0	8				

주민번호 앞자리(예:030415)

※ 수험번호, 주민번호 앞자리 누락 혹은 잘못 기입할 시 채점대상에서 제외할 수 있음

【유의사항】
① 반드시 검정색 필기구만 사용
② 수험번호 및 주민번호란에 아라비아 숫자로 쓰고 ○안에 ●마킹
③ 답안지에 답 이외의 특정 표시 불가함
④ 답안지는 1매만 사용해야 하며, 2매 사용 시 무효(0점) 처리
⑤ 답안지를 수정할 경우 두 줄을 그어 수정
⑥ 해당 답안란에 답안을 작성할 것, 답안 영역을 벗어난 내용에 대해서는 채점이 불가함.

※ 감 독 관 확 인 란 (서명)

[문제1] 반드시 [문제1]의 답안을 작성할 것. [문제1]의 답안이 아닐 경우 0점 처리함.

서울과학기술대학교
SEOUL NATIONAL UNIVERSITY OF SCIENCE & TECHNOLOGY

[문제2] 반드시 [문제2]의 답안을 작성할 것. [문제2]의 답안이 아닐 경우 0점 처리함.

[문제3] 반드시 [문제3]의 답안을 작성할 것. [문제3]의 답안이 아닐 경우 0점 처리함.

9. 2022학년도 서울과기대 수시 논술 (3차)

[문제 1] 다음 물음에 답하시오.

[1.1] 곡선 $\cos(x-y)+x^2+y^2=9$가 직선 $y=x$와 만나는 점을 모두 구하고, 각 점에서의 접선의 방정식을 구하시오.

[1.2] 함수 $y=\dfrac{1}{1024}4^{-x}+\dfrac{3}{2}$의 그래프는 함수 $f(x)=a^x\,(a>0,\ a\neq 1)$의 그래프를 x축의 방향으로 m만큼, y축의 방향으로 n만큼 평행 이동한 것이다. 1이 아닌 양수 b에 대하여 $3\log_b a=\dfrac{4}{4a-3}$가 성립한다. 함수 $g(x)=mn\log_b x$에 대하여 $(g\circ f)(5)$의 값을 구하시오.

[1.3] 자연수 n에 대하여 직선 $y=\dfrac{x}{(2n-1)\pi}$가 곡선 $y=\sin x$와 만나는 점의 개수를 a_n이라고 할 때, 급수 $\displaystyle\sum_{n=1}^{\infty}\frac{1}{a_n a_{n+1}}$의 합을 구하시오.

[문제 2] 다음 물음에 답하시오.

아래 그림과 같이 위쪽과 아래쪽 입체도형의 높이가 각각 $\dfrac{\pi}{2}$ cm인 물시계의 내부에 물이 일부 채워져 있다.

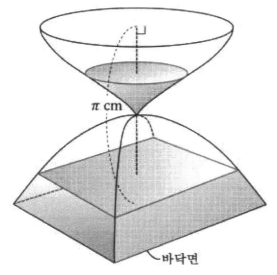

(가) 아래쪽 입체도형에 채워진 물의 높이가 바닥면으로부터 x cm일 때, 수면은 한 변의 길이가 $\sqrt{\pi^2 - 2\pi x}$ cm인 정사각형이다.

(나) 위쪽 입체도형에 채워진 물의 수면으로부터 바닥면까지의 수직거리가 x cm일 때, 수면은 반지름의 길이가 $\sqrt{\left(x - \dfrac{\pi}{2}\right)(1 + \cos 2x)}$ cm인 원이다.

(다) 크기를 무시할 수 있는 작은 구멍을 통해 위쪽 입체도형의 물은 1분에 $\dfrac{\pi^3}{25}$ cm³ 씩 아래쪽 입체도형으로 떨어진다.

[2.1] 아래쪽 입체도형의 부피를 구하시오.

[2.2] 위쪽 입체도형의 부피를 구하시오.

[2.3] 처음에 위쪽 입체도형에는 물이 가득 차 있었고 아래쪽 입체도형은 비어 있었다고 하자. 물이 떨어지기 시작한 후 4분이 되었을 때, 아래쪽 입체도형에 채워진 물의 높이를 구하시오.

[문제 3] 다음 물음에 답하시오.

(가) 함수 $f(x) = x^3 + tx^2 + 9x + 15$ (t는 실수)가 다음 조건을 만족한다.

① $x = \alpha$에서 함수 $f(x)$는 극댓값을 갖는다.
② $x = \beta$에서 함수 $f(x)$는 극솟값을 갖는다.
③ $\alpha < 0$이고 $\beta < 0$이다.

(나) 제시문 (가)를 만족하는 실수 t에 대하여 점 $\mathrm{P}(\alpha, \ f(\alpha))$, $\mathrm{Q}(\beta, \ f(\beta))$가 있다. 원점 O와 점 P, Q에 대하여 동경 OP, OQ가 나타내는 각의 크기를 각각 θ_1, θ_2라고 하자.

[3.1] 제시문 (가)를 만족하는 실수 t의 값의 범위를 구하시오.

[3.2] 제시문 (가)를 만족하는 실수 t에 대하여 $\alpha^2 - \beta^2$을 t에 대한 식으로 나타내시오.

[3.3] 제시문 (나)의 θ_1과 θ_2에 대하여 $\tan\theta_1 - \tan\theta_2$를 t에 대한 함수 $g(t)$로 나타내시오.

[3.4] 문항 [3.3]의 함수 $g(t)$의 최댓값을 구하시오.

서울과학기술대학교
SEOUL NATIONAL UNIVERSITY OF SCIENCE & TECHNOLOGY

2024학년도 답안지(자연계열)

모 집 단 위

성 명

고 사 시 간			
오 전	○	오 후	●

수험번호(수능 수험번호 아님)

2	2	1	0	8						

주민번호 앞자리(예: 030415)

※ 수험번호, 주민번호 앞자리 누락 혹은 잘못
  기입할 시 채점대상에서 제외할 수 있음

【유의사항】
① 반드시 검정색 필기구만 사용
② 수험번호 및 주민번호란에 아라비아 숫자로 쓰고
  ○안에 ●마킹
③ 답안지에 답 이외의 특정 표시 불가함
④ 답안지는 1매만 사용해야 하며, 2매 사용 시 무효(0점) 처리
⑤ 답안지를 수정할 경우 두 줄을 그어 수정
⑥ 해당 답안란에 답안을 작성할 것, 답안 영역을 벗어난 내용에
  대해서는 채점이 불가함.

통 감 독 관 확 인 란 (서명)

(1/2)

[문제1] 반드시 [문제1]의 답안을 작성할 것. [문제1]의 답안이 아닐 경우 0점 처리함.

서울과학기술대학교

[문제2] 반드시 [문제2]의 답안을 작성할 것. [문제2]의 답안이 아닐 경우 0점 처리함.

[문제3] 반드시 [문제3]의 답안을 작성할 것. [문제3]의 답안이 아닐 경우 0점 처리함.

서울과학기술대학교

10. 2022학년도 서울과기대 수시 논술 (4차)

[문제 1] 다음 물음에 답하시오.

[1.1] 두 함수 $f(x) = |x^3 - 2x|$, $g(x) = x^2$에 대하여 그래프 $y = f(x)$와 $y = g(x)$의 제 1사분면에 있는 교점을 모두 구하고, 각 교점을 접점으로 하는 $y = f(x)$의 접선의 방정식을 구하시오.

[1.2] 첫째항이 0이 아닌 수열 $\{a_n\}$이 모든 자연수 n에 대하여

$$\sum_{k=1}^{n} \frac{(k+2)a_{k+1}}{(k+1)a_k} = n^2 + 5n$$

일 때, $\dfrac{a_{10}}{a_8}$의 값을 구하시오.

[1.3] 클레이 사격선수 A와 B가 표적을 명중시킬 확률은 각각 $\dfrac{1}{2}$과 p이다. A가 4회의 사격 중 1회 이상 명중시킬 확률과 B가 2회의 사격 중 1회 이상 명중시킬 확률이 같기 위한 p를 구하시오.

[문제 2] 다음 물음에 답하시오.

(가) 곡선 $y=e^x$ (e는 자연상수) 위의 점 $(0,\ 1)$에서의 접선의 방정식을 $y=f(x)$라고 하자.

(나) 수렴하는 두 수열 $\{a_n\}$, $\{b_n\}$에 대하여 $\lim\limits_{n\to\infty}a_n=\lim\limits_{n\to\infty}b_n=\alpha$이고, 수열 $\{c_n\}$이 모든 자연수 n에 대하여 $a_n\le c_n\le b_n$이면 $\lim\limits_{n\to\infty}c_n=\alpha$이다.

[2.1] 제시문 (가)의 $f(x)$에 대하여 $e^x-f(x)$의 **최솟값**을 구하시오.

[2.2] $0\le x\le 1$에서 $2x^2+x+1-e^x$의 **최솟값**을 구하시오.

[2.3] 문항 [2.2]를 이용하여 모든 자연수 n에 대하여 다음 부등식이 성립함을 보이시오.

$$\sqrt[n]{e}\le 1+\frac{1}{n}+\frac{2}{n^2}$$

[2.4] 문항 [2.1], [2.3]과 제시문 (나)를 이용하여 다음 극한값을 구하시오.

$$\lim_{n\to\infty}n(\sqrt[n]{e}-1)$$

[문제 3] 다음 물음에 답하시오.

아래 그림은 중심이 원점이고 반지름의 길이가 1인 원, 그리고 x축의 양의 방향을 시초선으로 하여 반시계방향으로 회전하는 동경 OA를 나타낸다.

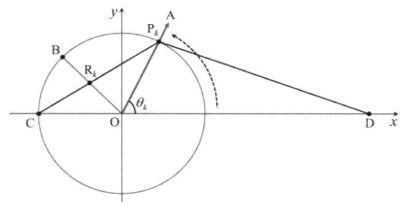

(가) 점 B, C, D의 좌표는 각각 $\left(-\dfrac{1}{\sqrt{2}},\ \dfrac{1}{\sqrt{2}}\right)$, $(-1,\ 0)$, $(3,\ 0)$이다.

(나) 시초선을 출발한 동경 OA는 매 초마다 같은 크기의 각으로 회전하여 n초 후에 선분 OB와 겹친다. $1 \le k \le n$인 k에 대하여 k초 후에 동경 OA가 시초선과 이루는 각은 $\theta_k \left(0 \le \theta_k \le \dfrac{3\pi}{4}\right)$이고 원과 만나는 교점은 P_k이다. (단, k와 n은 자연수)

(다) $1 \le k \le n$인 k에 대하여 선분 CP_k와 선분 OB의 교점은 R_k이고 선분 OR_k의 길이를 L_k, 선분 CR_k의 길이를 M_k, 삼각형 CDP_k의 넓이를 S_k라고 하자.

[3.1] L_k를 θ_k에 대한 식으로 나타내시오.

[3.2] $n=3$일 때, $\displaystyle\sum_{k=1}^{3}\left(M_k^2 - L_k^2\right)$의 값을 구하시오.

[3.3] 자연수 n에 대하여 $T_n = \displaystyle\sum_{k=1}^{n} S_k$일 때, $\displaystyle\lim_{n\to\infty}\dfrac{T_n}{n}$의 값을 구하시오.

서울과학기술대학교
SEOUL NATIONAL UNIVERSITY OF SCIENCE & TECHNOLOGY

2024학년도 답안지(자연계열)

모 집 단 위

성 명

고 사 시 간			
오 전	○	오 후	●

수험번호(수능 수험번호 아님)

2	2	1	0	8					

주민번호 앞자리(예:030415)

※ 수험번호, 주민번호 앞자리 누락 혹은 잘못
  기입할 시 채점대상에서 제외할 수 있음

【유의사항】
① 반드시 검정색 필기구만 사용
② 수험번호 및 주민번호란에 아라비아 숫자로 쓰고
  ○안에 ●마킹
③ 답안지에 답 이외의 특정 표시 불가함
④ 답안지는 1매만 사용해야 하며, 2매 사용 시 무효(0점) 처리
⑤ 답안지를 수정할 경우 두 줄을 그어 수정
⑥ 해당 답안란에 답안을 작성할 것, 답안 영역을 벗어난 내용에
  대해서는 채점이 불가함.

※ 감 독 관 확 인 란 (서명)

[문제1] 반드시 [문제1]의 답안을 작성할 것. [문제1]의 답안이 아닐 경우 0점 처리함.

서울과학기술대학교
SEOUL NATIONAL UNIVERSITY OF SCIENCE & TECHNOLOGY

[문제2] 반드시 [문제2]의 답안을 작성할 것. [문제2]의 답안이 아닐 경우 0점 처리함.　　[문제3] 반드시 [문제3]의 답안을 작성할 것. [문제3]의 답안이 아닐 경우 0점 처리함.

11. 2022학년도 서울과기대 모의 논술

[문제 1] 다음 물음에 답하시오.

[1.1] 어떤 음료수를 온도가 $24°C$로 일정하게 유지되는 장소에 놓은 지 t분 후 음료수의 온도 $T(t)$는

$$T(t) = 24 + ae^{bt}(°C)$$

이다. (단, a와 b는 상수이다.) $t=0$일 때 $88°C$인 음로수가 $t=5$일 때 $72°C$가 되었다고 하자. $t=15$일 때 음료수의 온도를 구하시오.

[1.2] 곡선 $x^3 + xy + y^3 - 8 = 0$과 x축과의 교점을 P라 하자. 점 P에서 이 곡선의 접선을 l_1, 직선 l_1과 수직이고 점 P를 지나는 직선을 l_2라 할 때, 두 직선 l_1, l_2와 y축으로 둘러싸인 도형의 넓이를 구하시오.

[1.3] 다음 정적분을 구하시오.

$$\int_{-1}^{1} (1 + 4x + 9x^2 + 16x^3 + \cdots + 2022^2 x^{2021})dx$$

[문제 2] 다음 물음에 답하시오.

> (가) 두 곡선의 교점에서 두 곡선의 접선이 서로 수직일 때, 두 곡선은 그 점에서 서로 수직이라 한다.
>
> (나) 양수 a에 대하여, $f(x) = \dfrac{1}{\sqrt{3}}x^3 - ax^2 + 1$, $g(x) = \dfrac{1}{\sqrt{3}}x^3 + ax^2 - 1$이라 하자.

[2.1] 두 곡선 $y = f(x)$와 $y = g(x)$의 교점의 좌표를 모두 구하시오.

[2.2] 두 곡선 $y = f(x)$와 $y = g(x)$의 모든 교점에서 두 곡선이 서로 수직이 되는 상수 a의 값을 구하시오.

[2.3] 문항 [2.2]에서 구한 a에 대하여, $f(x) \geq g(x)$인 x값의 범위를 구하시오.

[2.4] 문항 [2.2]에서 구한 a에 대하여, 두 곡선 $y = f(x)$, $y = g(x)$와 두 직선 $x = -2$, $x = 2$로 눌러싸인 도형의 넓이를 구하시오.

[문제 3] 다음 물음에 답하시오.

$0 < \alpha < \dfrac{1}{2}$인 α에 대하여 다음의 단계를 시행한다.

(가) 아래 그림과 같이 한 변의 길이가 1인 정사각형 $A_0B_0C_0D_0$에 대하여 변 A_0B_0을 $\alpha : 1-\alpha$로 내분하는 점을 A_1, 변 B_0C_0을 $\alpha : 1-\alpha$로 내분하는 점을 B_1, 변 C_0D_0을 $\alpha : 1-\alpha$로 내분하는 점을 C_1, 변 D_0A_0을 $\alpha : 1-\alpha$로 내분하는 점을 D_1이라 하자.

(나) 정사각형 $A_1B_1C_1D_1$에 대하여 변 A_1B_1, B_1C_1, C_1D_1 및 D_1A_1을 $\alpha : 1-\alpha$로 내분하는 점을 각각 A_2, B_2, C_2 및 D_2라 하자.

(다) 이 과정을 반복하여 정사각형 $A_{n-1}B_{n-1}C_{n-1}D_{n-1}$에 대하여 각 변을 $\alpha : 1-\alpha$로 내분하는 네 점을 연결하여 정사각형 $A_nB_nC_nD_n$을 얻을 수 있다. (단, n은 자연수이다.)

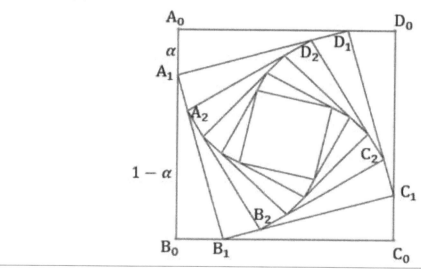

[3.1] $\theta = \angle A_0D_1 A_1$, $t = \tan\theta$에 대하여 α롤 t에 관한 식으로 나타내시오.

[3.2] 변 $A_{n-1} A_n$의 길이를 l_n이라 할 때, $\displaystyle\sum_{n=1}^{\infty} l_n$은 t에 관한 식으로 나타내시오.

[3.3] 삼각형 $A_{n-1}A_nD_n$의 넓이를 S_n이라 할 때, $\displaystyle\sum_{n=1}^{\infty} S_{2n-1} = \dfrac{2}{13}$가 되는 α를 구하시오.

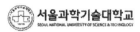

서울과학기술대학교
SEOUL NATIONAL UNIVERSITY OF SCIENCE & TECHNOLOGY

2024학년도 답안지(자연계열)

모 집 단 위

성 명

교 사 시 간			
오 전	○	오 후	●

수험번호(수능 수험번호 아님)

2	2	1	0	8						

주민번호 앞자리(예:030415)

※ 수험번호, 주민번호 앞자리 누락 혹은 잘못
  기입할 시 채점대상에서 제외할 수 있음

【유의사항】
① 반드시 검정색 필기구만 사용
② 수험번호 및 주민번호란에 아라비아 숫자로 쓰고
  ○안에 ●마킹
③ 답안지에 답 이외의 특정 표시 불가함
④ 답안지는 1매만 사용해야 하며, 2매 사용 시 무효(0점) 처리
⑤ 답안지를 수정할 경우 두 줄을 그어 수정
⑥ 해당 답안란에 답안을 작성할 것. 답안 영역을 벗어난 내용에
  대해서는 채점이 불가함.

※ 감 독 관 확 인 란 (서명)

(1/2)

[문제1] 반드시 [문제1]의 답안을 작성할 것. [문제1]의 답안이 아닐 경우 0점 처리함.

서울과학기술대학교
SEOUL TECH SEOUL NATIONAL UNIVERSITY OF SCIENCE & TECHNOLOGY

94

[문제2] 반드시 [문제2]의 답안을 작성할 것. [문제2]의 답안이 아닐 경우 0점 처리함.

[문제3] 반드시 [문제3]의 답안을 작성할 것. [문제3]의 답안이 아닐 경우 0점 처리함.

12. 2021학년도 서울과기대 수시 논술 (1차)

[문제 1] 다음 물음에 답하시오.

[1.1] 반지름의 길이가 3인 구에 내접하는 원뿔의 옆넓이를 S라 할 때, S^2의 최댓값을 구하시오.

[1.2] 원 $x^2 - x + y^2 = 0$이 두 원 $x^2 + y^2 = \cos^2\alpha$, $x^2 + y^2 = \sin^2\alpha$와 제 1사분면에서 만나는 두 점을 각각 P, Q라 하자. $0 < \alpha < \dfrac{\pi}{2}$일 때 삼각형 OPQ의 넓이가 최대가 되는 α를 모두 구하시오. (단, O는 원점)

[1.3] A와 B가 경주를 한다. 계속 앞서고 있던 A가 결승선을 90 m앞두고 넘어졌다. A가 넘어져 있는 동안 B는 2(m/s)의 일정한 속도로 달리며 A를 추월했다. B가 A를 추월한 시점에서 10초 후, A가 다시 달리기 시작했다. A가 다시 달리기 시작한 시점부터 t초 후, A의 속도는 at(m/s)이고 B의 속도는 $(t+2)$(m/s)이다. A가 이기기 위한 실수 a의 조건을 구하시오.

[문제 2] 다음 물음에 답하시오.

> 설정된 네 자리의 비밀번호를 입력하면 열리는 금고가 있다. 이 금고에는 하나의 비밀번호만 설정되어 있다.
>
> (가) 이 금고의 비밀번호에 대하여 다음을 알고 있다.
>
>   (1) 1000부터 1999까지의 자연수 중 하나이다.
>
>   (2) 각 자리의 숫자의 합은 10이다.
>
> (나) 이 금고에 네 자리 번호를 한 번 입력하는 데는 5초가 걸린다. 비밀번호를 맞히는데 연속 5번 실패할 때마다 20초간 번호를 입력할 수 없고, 틀린 번호를 입력한 횟수는 0번으로 초기화된다.

[2.1] 제시문 (가)를 만족하는 네 자리 번호는 모두 몇 가지인지 구하시오.

[2.2] 제시문 (가)를 만족하는 네 자리 번호를 임의로 입력하되 이미 입력했던 번호는 다시 입력하지 않는다. 틀린 번호를 입력한 경우 다른 네 자리 번호를 바로 입력하고, 비밀번호를 맞힌 경우에는 더 이상 입력하지 않는다. 비밀번호를 맞힐 때까지 네 자리 번호를 입력한 횟수를 확률변수 X라 하자. X의 기댓값을 구하시오.

[2.3] 문항 [2.2]와 같은 방식으로 네 자리 번호를 입력할 때, 비밀번호를 맞힐 때까지 걸리는 시간을 확률변수 Y라 하자. Y의 기댓값을 제시문 (나)에 따라 구하시오. (단, 번호를 처음 입력하기 전 틀린 번호 입력 횟수는 0이다.)

[문제 3] 다음 물음에 답하시오.

오른쪽 그림과 같이 $t > \dfrac{1}{2}$ 일 때, 곡선 $y = t - x^2$과 직선 $y = tx$가 제 1사분면에서 만나는 점을 P_1, 제 3사분면에서 만나는 점을 P_2라 하자.

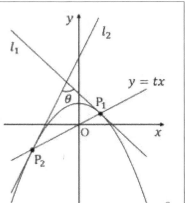

(가) $A_1(t)$는 곡선 $y = t - x^2$ 위의 점 P_1에서의 접선 l_1과 x축, y축으로 둘러싸인 도형의 넓이이다.

(나) $A_2(t)$는 곡선 $y = t - x^2$ 위의 점 P_2에서의 접선 l_2와 x축, y축으로 둘러싸인 도형의 넓이이다.

(다) $S(t)$는 곡선 $y = t - x^2$과 직선 $y = tx$에 의해 둘러싸인 도형의 넓이이다.

[3.1] 직선 l_1과 직선 l_2가 이루는 각의 크기를 θ라 할 때, $\tan^2\theta$를 t에 대한 식으로 나타내시오.

[3.2] 양의 정수 k에 대하여 다음 극한이 수렴하는 경우 극한값을 모두 구하시오.
$$\lim_{t \to \infty} \frac{A_1(t)}{t^k}$$

[3.3] 다음 극한값을 구하시오.
$$\lim_{t \to \infty} \frac{S(t)}{A_2(t)}$$

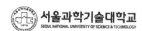

2024학년도 답안지(자연계열)

모 집 단 위

성 명

고 사 시 간			
오 전	○	오 후	●

수험번호(수능 수험번호 아님)

2	2	1	0	8					
⓪	⓪	⓪	●	⓪	⓪	⓪	⓪	⓪	⓪
①	①	●	①	①	①	①	①	①	①
●	●	②	②	②	②	②	②	②	②
③	③	③	③	③	③	③	③	③	③
④	④	④	④	④	④	④	④	④	④
⑤	⑤	⑤	⑤	⑤	⑤	⑤	⑤	⑤	⑤
⑥	⑥	⑥	⑥	⑥	⑥	⑥	⑥	⑥	⑥
⑦	⑦	⑦	⑦	⑦	⑦	⑦	⑦	⑦	⑦
⑧	⑧	⑧	●	⑧	⑧	⑧	⑧	⑧	⑧
⑨	⑨	⑨	⑨	⑨	⑨	⑨	⑨	⑨	⑨

주민번호 앞자리(예:030415)

⓪	⓪	⓪	⓪	⓪	⓪
①	①	①	①	①	①
②	②	②	②	②	②
③	③	③	③	③	③
④	④	④	④	④	④
⑤	⑤	⑤	⑤	⑤	⑤
⑥	⑥	⑥	⑥	⑥	⑥
⑦	⑦	⑦	⑦	⑦	⑦
⑧	⑧	⑧	⑧	⑧	⑧
⑨	⑨	⑨	⑨	⑨	⑨

※ 수험번호, 주민번호 앞자리 누락 혹은 잘못
기입할 시 채점대상에서 제외할 수 있음

【유의사항】
① 반드시 검정색 필기구만 사용
② 수험번호 및 주민번호란에 아라비아 숫자로 쓰고
○안에 ●마킹
③ 답안지에 답 이외의 특정 표시 불가함
④ 답안지는 1매만 사용해야 하며, 2매 사용 시 무효(0점) 처리
⑤ 답안지를 수정할 경우 두 줄을 그어 수정
⑥ 해당 답안칸에 답안을 작성할 것, 답안 영역을 벗어난 내용에
대해서는 채점이 불가함.

※ 감 독 관 확 인 란 (서명)

[문제1] 반드시 [문제1]의 답안을 작성할 것. [문제1]의 답안이 아닐 경우 0점 처리함.

※ 공란(실선 아래에 답안을 작성하거나 낙서를 할 경우 판독이 불가능하여 채점불가)

서울과학기술대학교
SEOUL NATIONAL UNIVERSITY OF SCIENCE & TECHNOLOGY

[문제2] 반드시 [문제2]의 답안을 작성할 것. [문제2]의 답안이 아닐 경우 0점 처리함.

[문제3] 반드시 [문제3]의 답안을 작성할 것. [문제3]의 답안이 아닐 경우 0점 처리함.

13. 2021학년도 서울과기대 수시 논술 (2차)

[문제 1] 다음 물음에 답하시오.

[1.1] 일반항이 $a_n = \left(-\frac{2}{3}\right)^n \sin^2 \frac{n\pi}{4}$ 인 수열 $\{a_n\}$에 대하여 $A = \left(\frac{2}{3}\right)^{100}$일 때, $\sum_{n=1}^{100} a_n$의 값을 A에 대한 식으로 나타내시오.

[1.2] 7개의 자리가 있고 이웃한 자리들 사이의 거리는 모두 같은 원탁이 있다. 이 원탁에 A, B, C 세 사람이 둘러앉을 때, A가 C보다 B에 더 가까이 앉을 확률을 구하시오. (단, 회전하여 일치하는 것은 같은 것으로 본다.)

[1.3] $\frac{\pi}{6} \le \theta < \frac{\pi}{2}$일 때, 두 직선 $y = (\tan\theta)x$와 $y = \frac{1 + \tan\frac{\theta}{2}}{1 - \tan\frac{\theta}{2}}(x - \sec\theta)$의 교점을 P라 하자. 원점 O와 점 Q$(\sec\theta, \ 0)$에 대하여 삼각형 OPQ의 외접원 지름의 최솟값을 구하시오.

[문제 2] 다음 물음에 답하시오.

(가) [그림 1]과 같이 $0 < b < 4$일 때, 직선 $y = b$와 곡선 $y = -x^2 + 4x$가 만나는 두 교점을 각각 P와 Q라 하자. (단, 점 Q의 x좌표는 점 P의 x좌표보다 크다.)

(나) [그림 2]와 같이 $x = 3$일 때, 곡선 $y = -x^2 + 4x$위의 점을 T라 하자.

(다) [그림 1]과 [그림 2]에서 점 O는 원점이다.

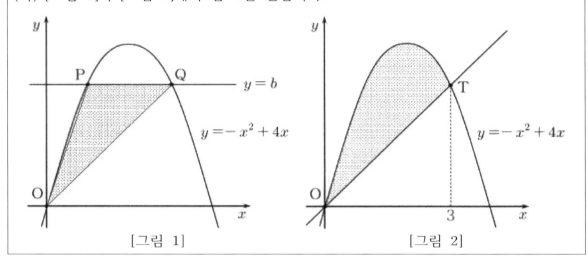

[그림 1]   [그림 2]

[2.1] [그림 1]에서 삼각형 OPQ의 넓이가 최대가 되는 점 Q의 x좌표가 $u + v\sqrt{w}$일 때, uvw의 값을 구하시오. (단, u와 v는 유리수이고, w는 소수인 자연수이다.)

[2.2] [그림 2]에서 곡선 $y = -x^2 + 4x$와 직선 OT로 둘러싸인 도형의 넓이를 구하시오.

[2.3] [그림 2]에서 $0 < x < 3$일 때, 곡선 $y = -x^2 + 4x$위의 점 S와 직선 OT 사이의 거리의 최댓값을 구하시오.

102

[문제 3] 다음 물음에 답하시오.

> (가) $x_1 > 0$, $x_2 > 0$일 때, 다음 성질이 성립한다.
> $$\ln x_1 = \ln x_2 \quad \Leftrightarrow \quad x_1 = x_2$$
> (나) 수렴하는 두 수열 $\{a_n\}$과 $\{b_n\}$이 모든 자연수 n에 대하여 $a_n = b_n$이면 다음 성질이 성립한다.
> $$\lim_{n \to \infty} a_n = \lim_{n \to \infty} b_n$$
> (다) $r = 3$이고 $s = 2$일 때, 모든 자연수 n에 대하여 다음 성질이 성립한다.
> $$1^r + 2^r + \cdots + n^r = (1 + 2 + \cdots + n)^s$$

[3.1] $x \geq 3$일 때, 방정식 $x^2 = 2^x$을 만족하는 자연수 해를 하나 구하시오.

[3.2] 제시문 (가)를 이용하여, $x \geq 3$일 때 방정식 $x^2 = 2^x$의 해의 개수를 구하시오. (필요하면 $\ln 2 = 0.7$로 계산한다.)

[3.3] $\displaystyle\lim_{n \to \infty} \frac{\{n(n+1)\}^s}{n^{r+1}}$의 극한값이 존재하고 0이 아닐 때, 자연수 r과 s의 관계식과 극한값을 구하시오.

[3.4] r과 s가 문항 [3.3]에서 구한 관계식을 만족할 때, 모든 자연수 n에 대하여
$$1^r + 2^r + \cdots + n^r = (1 + 2 + \cdots + n)^s$$
을 만족하는 2보다 크거나 같은 자연수 r의 개수를 구하시오.

서울과학기술대학교
SEOUL NATIONAL UNIVERSITY OF SCIENCE & TECHNOLOGY

2024학년도 답안지(자연계열)

모 집 단 위

성 명

고 사 시 간			
오 전	○	오 후	●

수험번호(수능 수험번호 아님)

2	2	1	0	8						
⓪	⓪	⓪	●	⓪	⓪	⓪	⓪	⓪	⓪	⓪
①	①	●	①	①	①	①	①	①	①	①
●	●	②	②	②	②	②	②	②	②	②
③	③	③	③	③	③	③	③	③	③	③
④	④	④	④	④	④	④	④	④	④	④
⑤	⑤	⑤	⑤	⑤	⑤	⑤	⑤	⑤	⑤	⑤
⑥	⑥	⑥	⑥	⑥	⑥	⑥	⑥	⑥	⑥	⑥
⑦	⑦	⑦	⑦	⑦	⑦	⑦	⑦	⑦	⑦	⑦
⑧	⑧	⑧	●	⑧	⑧	⑧	⑧	⑧	⑧	⑧
⑨	⑨	⑨	⑨	⑨	⑨	⑨	⑨	⑨	⑨	⑨

주민번호 앞자리(예:030415)

⓪	⓪	⓪	⓪	⓪	⓪
①	①	①	①	①	①
②	②	②	②	②	②
③	③	③	③	③	③
④	④	④	④	④	④
⑤	⑤	⑤	⑤	⑤	⑤
⑥	⑥	⑥	⑥	⑥	⑥
⑦	⑦	⑦	⑦	⑦	⑦
⑧	⑧	⑧	⑧	⑧	⑧
⑨	⑨	⑨	⑨	⑨	⑨

※ 수험번호, 주민번호 앞자리 누락 혹은 잘못
   기입할 시 채점대상에서 제외할 수 있음

【유의사항】
① 반드시 검정색 필기구만 사용
② 수험번호 및 주민번호란에 아라비아 숫자로 쓰고
   ○안에 ●마킹
③ 답안지에 답 이외의 특정 표시 불가함
④ 답안지는 1매만 사용해야 하며, 2매 사용 시 무효(0점) 처리
⑤ 답안지를 수정할 경우 두 줄을 그어 수정
⑥ 해당 답안란에 답안을 작성할 것, 답안 영역을 벗어난 내용에
   대해서는 채점이 불가함.

통 감 독 관 확 인 란 (서명)

[문제1] 반드시 [문제1]의 답안을 작성할 것. [문제1]의 답안이 아닐 경우 0점 처리함.

※ 공란(실선 아래에 답안을 작성하거나 낙서를 할 경우 판독이 불가능하여 채점불가)

서울과학기술대학교
SEOUL NATIONAL UNIVERSITY OF SCIENCE & TECHNOLOGY

[문제2] 반드시 [문제2]의 답안을 작성할 것. [문제2]의 답안이 아닐 경우 0점 처리함.

[문제3] 반드시 [문제3]의 답안을 작성할 것. [문제3]의 답안이 아닐 경우 0점 처리함.

14. 2021학년도 서울과기대 수시 논술 (3차)

[문제 1] 다음 물음에 답하시오.

[1.1] 모든 실수 x에 대하여 $\sin x + A\cos x - 2\sin(x+\alpha) = 0$이 성립할 때, α와 A의 값을 구하시오. (단, A는 양수, $0 \leq \alpha < 2\pi$)

[1.2] 짝수인 자연수 k에 대하여 다음 극한값을 모두 구하시오.

$$\lim_{n \to \infty} \frac{\left(\dfrac{2}{\log_2 k}\right)^{n+1}}{999 + \left(\dfrac{2}{\log_2 k}\right)^n}$$

[1.3] 다음은 어느 대학의 한 학과 400명의 나이와 개인용 컴퓨터 소유여부를 파악한 결과이다.

(가) 나이가 20세 이상인 사람은 150명이다.
(나) 개인용 컴퓨터가 없는 사람은 60명이다.
(다) 나이가 20세 이상이며, 개인용 컴퓨터가 없는 사람은 30명이다.

400명 중 임의로 선택한 한 명이 개인용 컴퓨터를 갖고 있는 사건을 A, 임의로 선택한 한 명이 나이 20세 미만인 사건을 B라 하자. 사건 A와 사건 B가 서로 독립인지 종속인지 판별하시오.

[문제 2] 다음 물음에 답하시오.

> (가) 함수 $f(x)$가 어떤 열린구간에서 미분가능하고 이 구간에 속하는 모든 실수 x에 대하여 $f'(x) > 0$이면, 함수 $f(x)$는 이 구간에서 증가한다.
>
> (나) 함수 $f : X \to Y$가 일대일대응일 때, 역함수 $f^{-1} : Y \to X$가 존재한다.
>
> (다) 함수 $y = f(x)$의 그래프와 역함수 $y = f^{-1}(x)$의 그래프는 직선 $y = x$에 대하여 대칭이다.

[2.1] 양수 r에 대하여 다음 정적분의 값을 구하시오.

$$\int_0^1 \left(x^r + x^{\frac{1}{r}} \right) dx$$

[2.2] 집합 $X = \{x | 0 \le x \le 1\}$일 때 함수 $f : X \to X$가 닫힌구간 $[0, 1]$에서 연속이고, 열린 구간 $(0, 1)$에서 미분가능하며 다음을 만족한다.

    i) $0 < x < 1$인 모든 실수 x에 대하여, $f'(x) > 0$

    ii) $f(0) = 0$, $f\left(\dfrac{2}{3}\right) = \dfrac{5}{7}$, $f(1) = 1$

곡선 $y = f(x)$와 x축 및 두 직선 $x = \dfrac{2}{3}$, $x = 1$로 둘러싸인 도형의 넓이를 A_1, 곡선 $y = f^{-1}(x)$와 x축 및 두 직선 $x = \dfrac{5}{7}$, $x = 1$로 둘러싸인 도형의 넓이를 A_2라 하자. $A_1 + A_2$를 $\dfrac{q}{p}$로 나타내시오. **(단, p와 q는 서로소인 자연수)**

[2.3] 음이 아닌 실수 전체의 집합을 정의역과 공역으로 하는 함수 $f(x) = \sqrt{x} \, e^{\sqrt{x}}$에 대하여, 곡선 $y = f^{-1}(x)$와 x축 및 두 직선 $x = e$, $x = 2e^2$으로 둘러싸인 도형의 넓이를 구하시오.

[문제 3] 다음 물음에 답하시오.

(가) 원 $x^2 + y^2 = a^2$ 위의 점 C가 점 $(a, 0)$에서 출발하여 원 위를 시계바늘이 도는 반대 방향으로 점 $(0, a)$까지 움직인다. 점 C의 시각 t에서의 위치 (x, y)는
$$x = a\cos\omega t, \quad y = a\sin\omega t$$
이다.

$$\text{(단, } a > 0, \ \omega > 0, \ 0 \le t \le \frac{\pi}{2\omega})$$

(나) (가)에서의 점 C를 중심으로 하고 반지름의 길이가 r인 원 M이 있다. 원점 O를 지나고 원 M에 접하는 두 접선 중 기울기가 작은 접선을 l_1, 기울기가 큰 접선을 l_2라 하자. 시각 t에 따라 점 C의 위치가 변하므로 원 M및 직선 l_1, 직선 l_2도 위치가 변한다. (단, $r < a$)

(다) 중심이 $(b, 0)$이고 반지름의 길이가 R인 원 S가 있다. 시각 $t = 0$일 때의 직선 l_1, 직선 l_2는 아래 [그림 1]과 같이 원 S에 접한다. 이때, 원 S와 직선 l_1이 접하는 점을 P, 원 S와 직선 l_2가 접하는 점을 Q라 하자. 선분 OP가 x축의 양의 방향과 이루는 각의 크기는 $-\dfrac{\pi}{2}$보다 크고 0보다 작다. (단, $b > a + r + R$)

(라) 시각 $t = t_Q$일 때, 원 S와 직선 l_1은 아래 [그림 3]과 같이 점 Q에서 접한다. [그림 2]와 같이 시각 t에 대하여 $0 \le t \le t_Q$일 때, 직선 l_1과 선분 PQ의 교점을 A라 하자.

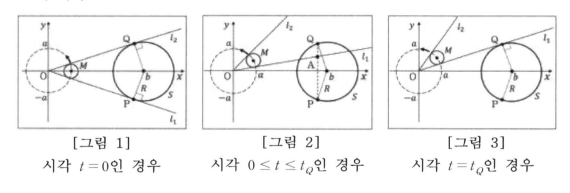

[그림 1]	[그림 2]	[그림 3]
시각 $t = 0$인 경우	시각 $0 \le t \le t_Q$인 경우	시각 $t = t_Q$인 경우

[3.1] $\dfrac{r}{R}$을 a, b에 대한 식으로 나타내시오.

[3.2] $b = 2R$일 때, t_Q를 ω에 대한 식으로 나타내시오.

[3.3] $b = 2R$이고 $0 \leq t \leq t_\mathrm{Q}$일 때, 점 A의 y좌표를 R, ω, t에 대한 식으로 나타내시오.

[3.4] $b = 2R$이고 $0 \leq t \leq t_\mathrm{Q}$일 때, 점 A의 속력을 R, ω, t에 대한 식으로 나타내시오. 이 결과로 얻은 점 A의 속력에 대하여, 점 A가 점 P에서 출발하여 점 Q에 도착한다고 할 때 점 A는 x축에 가까워질수록 속력이 감소하고, x축을 지나 점 Q에 가까워질수록 속력이 증가함을 보이시오.

서울과학기술대학교
SEOUL NATIONAL UNIVERSITY OF SCIENCE & TECHNOLOGY

2024학년도 답안지(자연계열)

모 집 단 위

성 명

고 사 시 간			
오 전	○	오 후	●

수험번호(수능 수험번호 아님)

2	2	1	0	8						

(마킹 번호 격자)

주민번호 앞자리(예:030415)

(마킹 번호 격자)

※ 수험번호, 주민번호 앞자리 누락 혹은 잘못
기입할 시 채점대상에서 제외할 수 있음

【유의사항】
① 반드시 검정색 필기구만 사용
② 수험번호 및 주민번호란에 아라비아 숫자로 쓰고
○안에 ●마킹
③ 답안지에 답 이외의 특정 표시 불가함
④ 답안지는 1매만 사용해야 하며, 2매 사용 시 무효(0점) 처리
⑤ 답안지를 수정할 경우 두 줄을 그어 수정
⑥ 해당 답안란에 답안을 작성할 것. 답안 영역을 벗어난 내용에
대해서는 채점이 불가함.

※ 감 독 관 확 인 란 (서명)

[문제1] 반드시 [문제1]의 답안을 작성할 것. [문제1]의 답안이 아닐 경우 0점 처리함.

서울과학기술대학교
SEOUL TECH SEOUL NATIONAL UNIVERSITY OF SCIENCE & TECHNOLOGY

[문제2] 반드시 [문제2]의 답안을 작성할 것. [문제2]의 답안이 아닐 경우 0점 처리함.

[문제3] 반드시 [문제3]의 답안을 작성할 것. [문제3]의 답안이 아닐 경우 0점 처리함.

15. 2021학년도 서울과기대 수시 논술 (4차)

[문제 1] 다음 물음에 답하시오.

[1.1] 다음 함수의 최댓값이 11, 최솟값이 2일 때 ab의 값을 구하시오. (단, $a > 0$, $0 \le \theta < 2\pi$)

$$f(\theta) = a\sin^2\theta + a\sin\left(\theta + \frac{\pi}{2}\right) + b + 1$$

[1.2] e보다 큰 상수 a에 대하여 두 곡선 $y = \log_{\ln a} x$, $y = \log_{\frac{1}{\ln a}} x$와 직선 $x = e^2$으로 둘러싸인 도형의 넓이를 구하시오.

[1.3] 빗변의 길이가 10이고 $\angle B$가 직각인 직각삼각형 ABC에서 세 변의 길이의 합을 l_1이라 하고 내접원 둘레의 길이를 l_2라 할 때, $\dfrac{l_2}{l_1}$가 최대가 되는 $\angle A$와 $\angle C$의 크기를 구하시오.

[문제 2] 다음 물음에 답하시오.

> 모든 실수 x에서 미분가능한 함수 $f(x)$가 다음 조건을 만족한다.
> (가) $f(0) = 0$
> (나) $f(1) = \alpha$, (단, α는 실수)
> (다) 모든 실수 x, y에 대하여 다음 관계식이 성립한다.
> $$f(x+y) = \frac{f(x)+f(y)}{1+7f(x)f(y)} \,(단,\ 1+7f(x)f(y) \neq 0)$$

[2.1] $f(-1)$을 α에 대한 식으로 나타내시오.

[2.2] 다음 정적분의 값을 구하시오.

$$\int_{-1}^{1} f(x)\,dx$$

[2.3] $f(x)$의 도함수 $f'(x)$를 다음 형태로 나타냈을 때, 상수 A, B, C의 값을 구하시오.
$$f'(0) \times \left[A\{f(x)\}^2 + Bf(x) + C \right]$$

[2.4] $f'(0) = 1$일 때, $f(2)$와 다음 정적분의 값을 모두 α에 대한 식으로 나타내시오.
$$\int_{0}^{2} (1+7\alpha^2)\{f(x)\}^2\,dx$$

[문제 3] 다음 물음에 답하시오.

> (가) l과 r은 $r < \dfrac{l}{2} - 1$인 관계를 만족하는 자연수이다.
>
> (나) 좌표평면에 네 점 $(0, 0)$, $(l-1, 0)$, $(l-1, l-1)$, $(0, l-1)$을 꼭짓점으로 하는 정사각형의 네 변을 S라 한다.
>
> (다) 주머니 A와 B에는 각각 0부터 $l-1$까지의 정수가 하나씩 적힌 l개의 공이 들어 있다. 두 주머니에서 임의로 한 개씩 공을 꺼냈을 때 주머니 A에서 꺼낸 공에 적힌 정수 a, 주머니 B에서 꺼낸 공에 적힌 정수 b를 확인하고 다시 넣는다.
>
> **(라) 제시문 (다)에서 확인한 두 정수 a, b에 대하여, 좌표평면에서 점 (a, b)를 중심으로 하고 반지름의 길이가 r인 원이 S와 만나는 경우에만 주머니 C에 구슬을 한 개 넣는다. (단, 주머니 C는 처음에는 비어 있다.)**

[3.1] 제시문 (다)의 시행에서 꺼낸 공에 적힌 정수 a, b에 대하여, 좌표평면에서 점 (a, b)를 중심으로 하고 반지름의 길이가 r인 원이 S와 만나지 않는 경우의 수를 l과 r에 대한 식으로 나타내시오.

[3.2] 제시문 (다)의 시행에서 꺼낸 공에 적힌 정수 a, b에 대하여, 좌표평면에서 점 (a, b)를 중심으로 하고 반지름의 길이가 r인 원이 S와 만날 확률을 l과 r에 대한 식으로 나타내시오.

[3.3] $l = 8$이고 $r = 1$이라 하자. 제시문 (다)와 (라)를 잇달아 시행하는 것을 4번 반복할 때, 주머니 C의 구슬이 3개 이하일 확률을 구하시오.

[3.4] $l = 8$이고 $r = 1$이라 하자. 제시문 (다)와 (라)를 잇달아 시행하는 것을 1, 200번 반복할 때, 주머니 C의 구슬이 894개 이상 918개 이하일 확률을 아래의 표준정규분포표를 이용하여 구하시오.

z	$\mathrm{P}(0 \le Z \le z)$
0.4	0.1554
0.6	0.2257
0.8	0.2881
1.0	0.3413
1.2	0.3849

서울과학기술대학교
SEOUL NATIONAL UNIVERSITY OF SCIENCE & TECHNOLOGY

2024학년도 답안지(자연계열)

모 집 단 위

성 명

고 사 시 간			
오 전	○	오 후	●

수험번호(수능 수험번호 아님)

2	2	1	0	8						

주민번호 앞자리(예:030415)

※ 수험번호, 주민번호 앞자리 누락 혹은 잘못
　기입할 시 채점대상에서 제외될 수 있음

【유의사항】
① 반드시 검정색 필기구만 사용
② 수험번호 및 주민번호란에 아라비아 숫자로 쓰고
　○안에 ●마킹
③ 답안지에 답 이외의 특정 표시 불가함
④ 답안지는 1매만 사용해야 하며, 2매 사용 시 무효(0점) 처리
⑤ 답안지를 수정할 경우 두 줄을 그어 수정
⑥ 해당 답안란에 답안을 작성할 것, 답안 영역을 벗어난 내용에
　대해서는 채점이 불가함

※ 감 독 관 확 인 란 (서명)

[문제1] 반드시 [문제1]의 답안을 작성할 것. [문제1]의 답안이 아닐 경우 0점 처리함.

서울과학기술대학교
SEOUL TECH. SEOUL NATIONAL UNIVERSITY OF SCIENCE & TECHNOLOGY

[문제2] 반드시 [문제2]의 답안을 작성할 것. [문제2]의 답안이 아닐 경우 0점 처리함.

[문제3] 반드시 [문제3]의 답안을 작성할 것. [문제3]의 답안이 아닐 경우 0점 처리함.

16. 2021학년도 서울과기대 모의 논술

[문제 1] 다음 물음에 답하시오.

[1.1] 아래 그림과 같이 $0 \leq x \leq \pi$에 대하여 $y = \cos x$, $y = \cos 2x$, $y = \cos^2 x$의 그래프를 한 좌표평면에 그릴 때, 세 곡선 모두에 의해 둘러싸인 도형은 두 개이다. 도형 A의 넓이를 a, 도형 B의 넓이를 b라 할 때 $a - b$의 값을 구하시오.

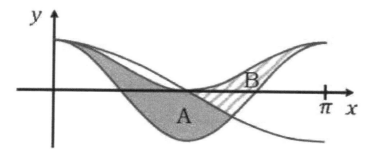

[1.2] 극한 $\displaystyle \lim_{n \to \infty} \frac{\ln\{(2n)!\} - n\ln n - \ln(n!)}{n}$의 값을 구하시오.

[1.3] 소고기버거, 치킨버거, 새우버거만을 판매하는 햄버거가게가 있다. 소고기버거와 치킨버거는 원하는 만큼 주문할 수 있지만, 새우버거는 17개까지만 주문이 가능하다고 한다. 이 햄버거가게 에서 20개의 햄버거를 구매하는 경우의 수를 구하시오.

[문제 2] 다음 물음에 답하시오.

> (가) 좌표평면에 아래와 같은 두 원이 있다.
>
> $$\text{원 } C_1 : x^2 + y^2 = 9$$
>
> $$\text{원 } C_2 : x^2 - 8x + y^2 - 6y + 9 = 0$$
>
> (나) 두 원 C_1과 C_2가 만나는 교점 중 하나를 A, 원 C_2의 중심을 P, 원점을 O라고 하자.
>
> (다) 점 Q는 원 C_2위의 점 중에서 원점 O와 가장 멀리 떨어진 점이다.

[2.1] $\angle \mathrm{OQA} = \alpha$라고 할 때, $\sin\alpha$의 값을 구하시오.

[2.2] $\angle \mathrm{OAQ} = \beta$라고 할 때, $\cos\beta$의 값을 구하시오.

[2.3] 원 C_1위의 점 R_1과 R_2에서의 접선이 원 C_2와 각각 한 점에서 만난다고 할 때, R_1과 R_2의 x좌표의 합을 구하시오.

[문제 3] 다음 물음에 답하시오.

> (가) 원점에서 출발하여 다음의 규칙에 따라 좌표평면 위를 움직이는 점이 있다.
>
> (1) 첫 단계에서 출발점을 $P_0(0, 0)$이라 하고, 도착점을 P_1이라 할 때, n번째 단계에서 P_{n-1}에서 출발하여 P_n까지 움직인다.
>
> (2) n이 짝수일 때 $\overline{P_{n-1}P_n} = \dfrac{3}{4}\overline{P_{n-2}P_{n-1}}$, n이 홀수일 때 $\overline{P_{n-1}P_n} = \dfrac{2}{3}\overline{P_{n-2}P_{n-1}}$ 이다.
>
> (3) P_0에서 P_1까지 x축의 양의 방향으로 1만큼 이동하고, P_1에서 P_2까지 y축과 평행한 양의 방향으로 이동한다. P_2에서 P_3까지 x축과 평행한 음의 방향으로 이동한다. P_3에서 P_4까지 y축과 평행한 음의 방향으로 이동한다.
>
> (4) (3)과 같이 x축과 평행한 양의 방향, y축과 평행한 양의 방향, x축과 평행한 음의 방향, y축과 평행한 음의 방향을 반복하여 움직인다.
>
> (나) 수열 $\{a_n\}$이 수렴할 때, $\displaystyle\lim_{n\to\infty} a_n = \lim_{n\to\infty} a_{2n} = \lim_{n\to\infty} a_{2n-1}$이다.

[3.1] 자연수 n에 대하여, $P_{2n}(x_{2n}, y_{2n})$과 $P_{2n-1}(x_{2n-1}, y_{2n-1})$을 구하시오.

[3.2] 다항함수 $y = f(x)$의 그래프가 점 P_0, P_2, P_4, $\ldots$, P_{2n}, $\ldots$을 지날 때, $f(x)$를 구하시오.

[3.3] 다항함수 $y = g(x)$의 그래프가 점 P_1, P_3, P_5, $\ldots$, P_{2n-1}, $\ldots$을 지날 때, $g(x)$를 구하시오.

[3.4] [3.2]와 [3.3]에서 구한 $y = f(x)$와 $y = g(x)$의 교점 Q를 구하고, 점 P_n이 점 Q로 한없이 가까워짐을 설명하시오.

서울과학기술대학교
SEOUL NATIONAL UNIVERSITY OF SCIENCE & TECHNOLOGY

2024학년도 답안지(자연계열)

모 집 단 위

성 명

고 사 시 간			
오 전	○	오 후	●

수험번호(수능 수험번호 아님)

2	2	1	0	8						

※ 수험번호, 주민번호 앞자리 누락 혹은 잘못
  기입할 시 채점대상에서 제외할 수 있음

주민번호 앞자리(예:030415)

【유의사항】
① 반드시 검정색 필기구만 사용
② 수험번호 및 주민번호란에 아라비아 숫자로 쓰고
  ○안에 ●마킹
③ 답안지에 답 이외의 특정 표시 불가함
④ 답안지는 1매만 사용해야 하며, 2매 사용 시 무효(0점) 처리
⑤ 답안지를 수정할 경우 두 줄을 그어 수정
⑥ 해당 답안란에 답안을 작성할 것, 답안 영역을 벗어난 내용에
  대해서는 채점이 불가함.

※ 감 독 관 확 인 란 (서명)

(1/2)

[문제1] 반드시 [문제1]의 답안을 작성할 것. [문제1]의 답안이 아닐 경우 0점 처리함.

서울과학기술대학교
SEOUL TECH SEOUL NATIONAL UNIVERSITY OF SCIENCE & TECHNOLOGY

※ 공란(실선 아래에 답안을 작성하거나 낙서를 할 경우 판독이 불가능하여 채점불가)

[문제2] 반드시 [문제2]의 답안을 작성할 것. [문제2]의 답안이 아닐 경우 0점 처리함.

[문제3] 반드시 [문제3]의 답안을 작성할 것. [문제3]의 답안이 아닐 경우 0점 처리함.

VI. 예시 답안

※주의! 2024학년도부터 *확률과 통계*가 시험범위에서 제외되었음,

1. 2024학년도 서울과기대 수시 논술 (오전)

[문제 1]

[1.1] 이차함수 $f(x) = kx^2 - (k+4)x + k + 2$에 대하여, $y = f(x)$의 그래프와 x축과의 교점이 $(\sin\theta, 0)$, $(\cos\theta, 0)$이다. 이때 모든 θ값들의 합을 구하시오. (단, $0 < \theta < 2\pi$, k는 상수)

[1.2] 최고차항의 계수가 1인 사차함수 $f(x)$가 다음 두 조건을 만족할 때, $f(x)$를 구하시오.

(가) $f'(-x) = -f'(x)$이다.

(나) $f(x)$는 $x = 2$에서 극솟값 -13을 갖는다.

[1.3] 높이가 1인 입체도형이 있다. 밑면으로부터의 높이가 $x(0 \leq x \leq 1)$인 지점에서 밑면과 평행한 평면으로 자른 단면이 가로의 길이가 2^x이고 세로의 길이가 $x+1$인 직사각형일 때, 이 입체도형의 부피를 구하시오.

[문제 2]

[2.1] 점 P의 x좌표를 t에 대한 식으로 나타내시오.

[2.2] 곡선 $y = \sqrt{x}$ 위의 두 점 A, B에서의 접선을 각각 l_1, l_2라 하자. l_1과 l_2의 교점을 점 Q라 할 때, $\tan(\angle PQO)$를 t에 대한 식으로 나타내시오. (단, O는 원점)

[2.3] $\angle$APB를 θ라 하자. $\cos\theta + \dfrac{1}{\cos\theta} = -\dfrac{10}{3}$일 때, t의 값을 구하시오.

[문제 3]

[3.1] N을 구하시오.

[3.2] 점 P가 반지름의 길이가 3^N인 원을 만날 때까지, 점 P가 움직인 거리를 구하시오.

[3.3] 급수 $\displaystyle\sum_{k=N}^{\infty} \left(-\dfrac{1}{2}\right)^{k-1} \int_{k-1}^{k} \pi\sin(\pi x)dx$의 합을 구하시오.

[문제 1]

[1.1]

 $\sin\theta$, $\cos\theta$는 이차방정식 $f(x) = 0$의 두 근이다. 이차방정식의 근과 계수의 관계를 이용하면

$$\sin\theta + \cos\theta = \frac{k+4}{k}, \quad \sin\theta\cos\theta = \frac{k+2}{k}$$

이다. 따라서

$$\frac{(k+4)^2}{k^2} = 1 + \frac{2(k+2)}{k}$$
$$(k-4)(k+2) = 0$$

이다.

$k=4$일 때,

$f(x) = 4x^2 - 8x + 6 = 4(x-1)^2 + 2 > 0$이므로 x축과의 교점이 없다.

$k=-2$일 때,

$f(x) = -2x^2 - 2x$가 되어 x축과의 교점은 $(0,\ 0),\ (-1,\ 0)$이다.

그러므로

$\sin\theta = 0,\ \cos\theta = -1$일 때

$$\theta = \pi$$

$\sin\theta = -1,\ \cos\theta = 0$일 때

$$\theta = \frac{3}{2}\pi$$

이다. 따라서 모든 θ값들의 합은 $\pi + \frac{3}{2}\pi = \frac{5}{2}\pi$이다.

[1.2]

$f(x)$는 최고차항의 계수가 1인 사차함수이므로 $f'(x)$는 최고차항의 계수가 4인 삼차함수이다. 조건 (가)에 의해 $f'(x)$의 이차항의 계수와 상수항은 0이다. 따라서

$$f'(x) = 4x^3 + ax$$

이다. 조건 (나)에 의해 $f'(2) = 0$이므로 $a = -16$이다. 즉,

$$f'(x) = 4x^3 - 16x$$

이다. 이를 적분하면 $f(x) = x^4 - 8x^2 + C$이고 다시 조건 (나) 에 의해

$$f(2) = 16 - 32 + C = -13$$

이므로 $C = 3$이다. 즉, $f(x) = x^4 - 8x^2 + 3$이다.

[1.3]

단면의 넓이는 $(x+1)2^x$이다. 따라서 부피는

$$V = \int_0^1 (x+1)2^x dx = \left[(x+1)\frac{2^x}{\ln 2}\right]_0^1 - \int_0^1 \frac{2^x}{\ln 2}dx$$
$$= \frac{3}{\ln 2} - \left[\frac{2^x}{(\ln 2)^2}\right]_0^1 = \frac{3}{\ln 2} - \frac{1}{(\ln 2)^2} = \frac{3\ln 2 - 1}{(\ln 2)^2}$$

이다.

[문제 2]

[2.1]

 점 A를 x축 대칭시켜 얻은 점 $A'(t, -\sqrt{t})$와 점 B를 지나는 직선의 x절편이 점 P의 x좌표이다. 이 직선의 방정식은

$$y = \frac{1}{2\sqrt{t}}(x-t)-\sqrt{t} = \frac{1}{2\sqrt{t}}x - \frac{3}{2}\sqrt{t}$$

이므로, $y=0$을 대입하면 점 P의 x좌표는 $3t$이다.

[2.2]

 $f(x) = \sqrt{x}$라 놓으면, $f'(x) = \frac{1}{2\sqrt{x}}$이므로 점 A에서의 접선 l_1의 방정식과 점 B에서의 접선 l_2의 방정식은 각각

$$y = \frac{1}{2\sqrt{t}}x + \frac{\sqrt{t}}{2}, \quad y = \frac{1}{6\sqrt{t}}x + \frac{3}{2}\sqrt{t}$$

이다. 이 두 직선의 방정식을 연립하면 점 Q의 좌표는 $(3t, 2\sqrt{t})$이다. 삼각형 PQO는 각 OPQ가 직각인 직각삼각형이고 $\overline{PQ} = 2\sqrt{t}$이므로

$$\tan(\angle PQO) = \frac{\overline{OP}}{\overline{PQ}} = \frac{3t}{2\sqrt{t}} = \frac{3}{2}\sqrt{t}$$

이다.

[2.3]

 $k = \cos\theta$로 두어 $k + \frac{1}{k} = -\frac{10}{3}$의 해를 구하면, $k = -3, -\frac{1}{3}$이다. $-1 \leq \cos\theta \leq 1$이므로 $\cos\theta = -\frac{1}{3}$이다.

$\overline{AP} = \sqrt{t + 4t^2}$, $\overline{BP} = \sqrt{9t + 36t^2}$, $\overline{AB} = \sqrt{4t + 64t^2}$이므로 코사인 법칙에 의해

$$\cos\theta = \frac{\overline{AP^2} + \overline{BP^2} - \overline{AB^2}}{2\overline{AP} \times \overline{BP}} = \frac{1-4t}{1+4t} = -\frac{1}{3}$$

이다. 마지막 등식을 풀면 $t = \frac{1}{2}$이다.

(별해)

$k = \cos\theta$로 두어 $k + \frac{1}{k} = -\frac{10}{3}$의 해를 구하면, $k = -3, -\frac{1}{3}$이다. $-1 \leq \cos\theta \leq 1$이므로 $\cos\theta = -\frac{1}{3}$이고 이로부터 $\tan\theta = -2\sqrt{2}$이다. x축의 양의 방향과 l_1, l_2가 이루는 각을 각

각 θ_1, θ_2라 하면, $\tan\theta_1 = -\dfrac{1}{2\sqrt{t}}$, $\tan\theta_2 = \dfrac{1}{2\sqrt{t}}$이고 $\theta = \theta_1 - \theta_2$이므로

$$\tan\theta = \frac{\tan\theta_1 - \tan\theta_2}{1 + \tan\theta_1 \tan\theta_2} = \frac{4\sqrt{t}}{1-4t} = -2\sqrt{2}$$

이다. (여기서 $1-4t < 0$이어야 한다) 양변을 제곱하여 t에 관한 방정식을 풀면 $t = \dfrac{1}{2}$, $\dfrac{1}{8}$이고 $1-4t < 0$이어야 하므로 $t = \dfrac{1}{2}$이다.

[문제 3]

[3.1]

원점과 점 P사이의 거리는 $\overline{\mathrm{OP}} = \sqrt{(e^{2t}\cos t)^2 + (e^{2t}\sin t)^2} = e^{2t}$이다. $t=0$에서 $t=\pi$일 때까지 점 P가 움직이므로, $t=\pi$일 때 원점과 점 P사이의 거리 $e^{2\pi}$이 원의 반지름 3^N이상이 되는 최대 자연수 N을 구하자.

$$3^N \le e^{2\pi} \Rightarrow N\ln 3 \le 2\pi \Rightarrow N \le \frac{2\pi}{\ln 3}$$

이고, 주어진 조건 $1.09 < \ln 3 < 1.10$에서 $\dfrac{2\pi}{1.10} < \dfrac{2\pi}{\ln 3} < \dfrac{2\pi}{1.09}$이므로 $5 < \dfrac{2\pi}{\ln 3} < 6$임을 알 수 있다. 따라서 점 P가 만난 원의 개수 $N=5$이다.

[3.2]

반지름의 길이가 3^5인 원을 마지막으로 만나므로, 이때의 시각 t를 구하면 다음과 같다.

$$e^{2t} = 3^5 \Rightarrow t = \frac{5}{2}\ln 3$$

또한

$$\frac{dx}{dt} = 2e^{2t}\cos t - e^{2t}\sin t, \quad \frac{dy}{dt} = 2e^{2t}\sin t + e^{2t}\cos t$$

이고

$$\sqrt{\left(\frac{dx}{dt}\right)^2 + \left(\frac{dy}{dt}\right)^2} = \sqrt{4e^{4t} + e^{4t}} = \sqrt{5}\,e^{2t}$$

이므로 점 P가 움직인 거리는

$$\int_0^{\frac{5}{2}\ln 3} \sqrt{5}\,e^{2t}dt = \sqrt{5}\left[\frac{e^{2t}}{2}\right]_0^{\frac{5}{2}\ln 3} = \frac{\sqrt{5}}{2}(243-1) = 121\sqrt{5}$$

이다.

[3.3]

정적분을 계산하면

$$\int_{k-1}^{k} \pi \sin(\pi x)dx = [-\cos(\pi x)]_{k-1}^{k} = -\cos(k\pi) + \cos(k-1)\pi = 2(-1)^{k-1}$$

이고 $N=5$**이므로**

$$\sum_{k=5}^{\infty}\left(-\frac{1}{2}\right)^{k-1} \times \{2(-1)^{k-1}\} = \sum_{k=5}^{\infty}\left(\frac{1}{2}\right)^{k-2} = \frac{\frac{1}{8}}{1-\frac{1}{2}} = \frac{1}{4}$$

이다.

2. 2024학년도 서울과기대 수시 논술 (오후)

[문제 1]

[1.1] 함수 $f(x) = \frac{1}{4}x^2 + x + 3$에 대하여 $y = f(x)$의 그래프와 이를 x축에 대하여 대칭이동한 후 x축의 방향으로 2만큼 평행 이동한 $y = g(x)$의 그래프가 있다. 이 두 그래프와 동시에 접하는 직선의 방정식을 모두 구하시오.

[1.2] 함수 $f(x) = a^x + b(a > 0)$에 대하여 $y = f(x)$의 그래프와 그 역함수의 그래프가 두 점에서 만난다. 이 두 점의 x좌표가 각각 1, 2일 때, $a - b$의 값을 구하시오.

[1.3] 함수 $f(\theta) = \dfrac{2 + \tan^2\theta}{2 - \tan\theta}$의 최솟값을 구하시오. (단, $-\dfrac{\pi}{4} \le \theta \le \dfrac{\pi}{4}$)

[문제 2]

[2.1] $n = 9$일 때 찾을 수 있는 서로 다른 사각형의 개수를 구하시오.

[2.2] $n = 9$일 때 찾을 수 있는 서로 다른 사각형 중 넓이가 a_8보다 큰 사각형의 개수를 구하시오.

[2.3] $m \ge 2$인 모든 자연수 m에 대하여 다음 명제 $p(m)$이 성립함을 수학적 귀납법으로 증명하시오.

$p(m)$: $n = m$일 때 찾을 수 있는 두 번째로 넓이가 큰 사각형의 넓이는 $S_m = \displaystyle\sum_{k=2}^{m} a_k$보다 항상 크다.

[문제 3]

[3.1] 부정적분 $\displaystyle\int 2e^x \sin x dx$를 구하시오.

[3.2] A_n을 구하시오.

[3.3] 극한값 $\displaystyle\lim_{n \to \infty} \sum_{k=1}^{n} \frac{1}{n^8} \left\{ \ln A_k - 2\ln(1+e^\pi) \right\}^7$을 구하시오.

[문제 1]

[1.1]

$y=g(x)$의 그래프는 $y=f(x)$의 그래프를 x축에 대하여 대칭이동한 후 x축의 방향으로 2만큼 평행 이동한 그래프이므로

$$g(x) = -\left\{ \frac{1}{4}(x-2)^2 + (x-2) + 3 \right\} = -\frac{1}{4}x^2 - 2$$

이다. 직선의 방정식 $y=ax+b$와 $y=f(x)$를 연립하면

$$\frac{1}{4}x^2 + x + 3 = ax + b \Rightarrow \frac{1}{4}x^2 + (1-a)x + 3 - b = 0$$

이고, 이 이차방정식의 판별식이 0이어야 하므로 $a^2 - 2a - 2 + b = 0$이다. 직선의 방정식 $y=ax+b$와 $y=g(x)$를 연립하면

$$-\frac{1}{4}x^2 - 2 = ax + b \Rightarrow -\frac{1}{4}x^2 - ax - 2 - b = 0$$

이고, 이 이차방정식의 판별식이 0이어야 하므로 $a^2 - 2 - b = 0$이다. 정리된 두 판별식을 연립하면, $a=-1$, $b=-1$ 또는 $a=2$, $b=2$이다. 따라서 두 그래프와 동시에 접하는 직선의 방정식은 $y=-x-1$ 또는 $y=2x+2$이다.

(별해) $y=g(x)$를 찾은 이후 미분하여 구한 기울기를 이용하는 방법에 해당된다. $f(x)$와 $g(x)$의 두 그래프와의 접점을 각각 $(a, f(a))$, $(b, g(b))$로 가정하면, 아래가 성립한다.

$$\frac{f(a) - g(b)}{a - b} = f'(a) = g'(b)$$

$f'(x)$와 $g'(x)$는 각각 $f'(x) = \frac{1}{2}x + 1$, $g'(x) = -\frac{1}{2}x$이며, $f'(a) = g'(b)$의 관계를 통해 $\frac{1}{2}a + 1 = -\frac{1}{2}b$임을 알 수 있다. 이를 대입하면,

$$\frac{f(a) - g(b)}{a - b} = \frac{\frac{1}{4}a^2 + a + 3 - \left(-\frac{1}{4}(-a-2)^2 - 2 \right)}{a + a + 2} = \frac{\frac{1}{2}a^2 + 2a + 6}{2a + 2}$$

이고, 위 식과 $f'(a)$와의 관계를 통해

$$\frac{\frac{1}{2}a^2 + 2a + 6}{2a + 2} = \frac{1}{2}a + 1 \Rightarrow a^2 + 2a - 8 = 0 \Rightarrow (a+4)(a-2) = 0$$

임을 알 수 있다. 결과적으로 a는 -4 또는 2의 경우가 되며,

　(i) $a=-4$일 때, 점 $(-4, 3)$을 -1의 기울기로 지나는 직선이므로, $y=-x-1$

(ii) $a=2$일 때, 점 $(2, 6)$을 2의 기울기로 지나는 직선이므로, $y=2x+2$ 가 된다.

[1.2]

　$0<a<1$일 때 $f(x)=a^x+b$의 그래프 $y=f(x)$와 그 역함수의 그래프와의 교점은 $(1,2)$, $(2,1)$이어야 한다. 따라서 두 방정식 $f(1)=a+b=2$, $f(2)=a^2+b=1$을 연립하면 $a^2-a+1=0$이다. 이 방정식의 판별식은 0보다 작으므로 이를 만족하는 실수 a값은 존재하지 않는다. 따라서 $a>1$이다.

　함수 $f(x)=a^x+b$에 대하여 $y=f(x)$의 그래프와 그 역함수의 그래프와의 교점은 함수 $f(x)=a^x+b$의 그래프 $y=f(x)$와 직선 $y=x$의 교점과 같다. 방정식 $a^x+b=x$의 두 근이 1, 2이므로, 다음 연립 이차 방정식을 얻을 수 있다.

$$\begin{cases} a+b=1 \\ a^2+b=2 \end{cases}$$

$a=\dfrac{1+\sqrt{5}}{2}$, $b=\dfrac{1-\sqrt{5}}{2}$ 또는 $a=\dfrac{1-\sqrt{5}}{2}$, $b=\dfrac{1+\sqrt{5}}{2}$이다. $a>0$이므로 $a-b$의 값은 $\sqrt{5}$이다.

[1.3]

함수 $f(\theta)$에서 $\tan\theta$를 x로 치환하면 $-1\le x\le 1$인 범위에서 $g(x)=\dfrac{2+x^2}{2-x}$의 최솟값을 구하면 된다.

$$g'(x)=\frac{-x^2+4x+2}{(2-x)^2}$$

이므로 $x=2\pm\sqrt{6}$에서 $g'(x)=0$이다. $2+\sqrt{6}>1$이므로 $g(-1)$, $g(2-\sqrt{6})$, $g(1)$의 값 중 가장 작은 값이 함수 $g(x)$의 최솟값이다. 여기서

$$g(-1)=1,\ g(2-\sqrt{6})=2(\sqrt{6}-2),\ g(1)=3$$

이므로 구하는 최솟값은 $2(\sqrt{6}-4)$이다.

[문제 2]

[2.1]

　주어진 선분을 이용하여 찾을 수 있는 서로 다른 사각형의 개수는 $_{10}C_2 \times _{10}C_2 = 2025$이다.

[2.2]

$n=9$일 때 찾을 수 있는 가장 작은 사각형의 넓이 a_9는 $\dfrac{1}{9}\times\dfrac{1}{9}=\dfrac{1}{81}$이고, 두 번째로 작

은 사각형의 넓이는 $\dfrac{1}{9} \times \dfrac{2}{9} = \dfrac{2}{81} > a_8 = \dfrac{1}{64}$ 이다. 따라서 문제의 조건을 만족하는 사각형의 개수는, 문항 [2.1]에서 구한 사각형의 개수에서 넓이가 가장 작은 사각형의 개수 81을 뺀 값과 같으므로 $2025 - 81 = 1944$이다.

[2.3]

a_k는 $\dfrac{1}{k^2}$이고, $m \geq 2$인 모든 자연수 m에 대하여 $n = m$일 때 찾을 수 있는 두 번째로 넓이가 큰 사각형의 넓이는 $1 - \dfrac{1}{m}$이다. 따라서 주어진 명제 $p(m)$은 다음과 같다.

$$p(m) : n = m\text{일 때 } 1 - \dfrac{1}{m} > \dfrac{1}{2^2} + \dfrac{1}{3^2} + \cdots + \dfrac{1}{m^2}$$

(i) $m = 2$일 때 $\dfrac{1}{2} > \dfrac{1}{2^2}$이므로 $p(2)$가 성립한다.

(ii) $m = k$일 때 $p(k)$가 성립한다고 가정하자.

$$1 - \dfrac{1}{k} > \dfrac{1}{2^2} + \dfrac{1}{3^2} + \cdots + \dfrac{1}{k^2}$$

양변에 $\dfrac{1}{(k+1)^2}$을 더하면

$$1 - \dfrac{1}{k} + \dfrac{1}{(k+1)^2} > \dfrac{1}{2^2} + \dfrac{1}{3^2} + \cdots + \dfrac{1}{k^2} + \dfrac{1}{(k+1)^2}$$

이다. 이때 $1 - \dfrac{1}{k} + \dfrac{1}{(k+1)^2} = 1 - \dfrac{k^2+k+1}{k(k+1)^2}$이고, $\dfrac{k^2+k+1}{k(k+1)^2} > \dfrac{k^2+k}{k(k+1)^2} = \dfrac{1}{k+1}$이므로

$$1 - \dfrac{1}{k+1} > 1 - \dfrac{1}{k} + \dfrac{1}{(k+1)^2} > \dfrac{1}{2^2} + \dfrac{1}{3^2} + \cdots + \dfrac{1}{k^2} + \dfrac{1}{(k+1)^2}$$

이다. 따라서 $p(k+1)$이 성립한다.
(i), (ii) 에 의해서 $p(m)$은 $m \geq 2$인 모든 자연수 m에 대하여 성립한다.

[문제 3]
[3.1]
부분적분법을 적용하면

$$\int 2e^x \sin x\, dx = 2e^x \sin x - \int 2e^x \cos x\, dx$$

이다. 우변의 부정적분식에서 부분적분법을 적용하면

$$\int 2e^x \cos x\, dx = 2e^x \cos x + \int 2e^x \sin x\, dx$$

이다. 이를 첫 번째 식에 대입하면

$$\int 2e^x \sin x\, dx = e^x (\sin x - \cos x) + C (\text{단, } C\text{는 적분상수})$$

를 얻는다.

[3.2]

$e^x > 0$이므로, $[2n\pi, \ (2n+1)\pi]$에서 $2e^x \sin x \geq 0$이고 $[(2n+1)\pi, \ (2n+2)\pi]$에서 $2e^x \sin x \leq 0$이다. 따라서 구하는 도형의 넓이는

$$A_n = \int_{2n\pi}^{(2n+1)\pi} 2e^x \sin x \, dx - \int_{(2n+1)\pi}^{(2n+2)\pi} 2e^x \sin x \, dx$$

$$= \left[e^x (\sin x - \cos x) \right]_{2n\pi}^{(2n+1)\pi} - \left[e^x (\sin x - \cos x) \right]_{(2n+1)\pi}^{(2n+2)\pi}$$

$$= e^{(2n+1)\pi} + e^{2n\pi} + e^{(2n+2)\pi} + e^{(2n+1)\pi}$$

$$= e^{2n\pi} \left(1 + e^{\pi} \right)^2$$

이다.

[3.3]

문항[3.2] 로부터 $\ln A_k - 2\ln(1+e^{\pi}) = \ln \dfrac{A_k}{(1+e^{\pi})^2} = 2k\pi$이므로

$$\lim_{n \to \infty} \sum_{k=1}^{n} \frac{1}{n^8} \left\{ \ln A_k - 2\ln(1+e^{\pi}) \right\}^7 = (2\pi)^7 \lim_{n \to \infty} \sum_{k=1}^{n} \left(\frac{k}{n} \right)^7 \frac{1}{n}$$

이 성립한다. 정적분과 급수의 합 사이의 관계에 의하여, 구하는 극한값은

$$(2\pi)^7 \int_0^1 x^7 \, dx = 16\pi^7$$

이다.

3. 2024학년도 서울과기대 모의 논술

[문제 1]

[1.1] 두 집합 $X = \{1, \ 2, \ 3, \ 4, \ 5, \ 6\}$, $Y = \{2, \ 3, \ 4, \ 5, \ 6, \ 7, \ 8\}$에 대하여 다음 조건을 만족하는 함수 $f : X \to Y$의 개수를 구하시오.

> (가) x가 홀수일 때 $f(x)$는 소수이다.
> (나) x가 짝수일 때 $f(x)$는 짝수이다.
> (다) $x_1 < x_2$이면 $f(x_1) < f(x_2)$이다.

[1.2] 그림과 같이 반지름의 길이가 1이고 중심각이 $\dfrac{\pi}{4}$인 부채꼴 $P_1 O Q_1$이 있다. 점 Q_1에서 선분 OP_1에 내린 수선의 발을 P_2라 하고, 선분 OQ_1위에 $\overline{OP_2} = \overline{OQ_2}$인 점 Q_2를 택하여 중심각이 $\dfrac{\pi}{4}$인 부채꼴 $P_2 O Q_2$를 부채꼴 $P_1 O Q_1$의 내부에 그린다. 점 Q_2에서 선분 OP_2에 내린 수선의 발을 P_3, 선분 OQ_2위에 $\overline{OP_3} = \overline{OQ_3}$인 점 Q_3을 택하

여 중심각인 $\dfrac{\pi}{4}$인 부채꼴 P_3OQ_3을 부채꼴 P_2OQ_2의 내부에 그린다. 이와 같은 방법으로 부채꼴을 한없이 그려 나간다. 삼각형 $Q_nP_nP_{n+1}$의 넓이를 a_n이라 할 때, 급수 $\displaystyle\sum_{n=1}^{\infty} a_n$ 의 합을 구하시오.

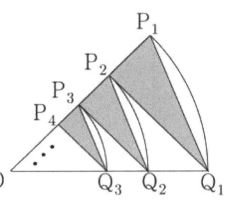

[1.3] 높이가 a^2인 입체도형이 있다. 이 입체도형의 밑면으로부터 높이가 x인 지점에서 밑면에 평행한 평면으로 자른 단면이, 반지름의 길이가 $\sqrt{a^2-x}$인 원 일 때, 이 입체도형의 부피를 V_1이라 하자. 또 다른 입체도형은, 높이가 a이며, 밑면으로부터 높이가 x인 지점에서 밑면에 평행한 평면으로 자른 단면이, 반지름의 길이가 $(a-x)^2$인 원 일 때, 이 입체도형의 부피를 V_2라 하자. $V_1 = V_2$일 때, 양수 a를 구하시오.

[문제 2]

[2.1] 양수 c에 대하여 직선 $y=c$와 곡선 $y=f(x)$의 교점의 개수가 2개일 때, c를 a에 관한 식으로 나타내시오.

[2.2] 문항 [2.1]에서 구한 c에 대하여, 직선 $y=c$와 곡선 $y=f(x)$로 둘러싸인 도형의 넓이 S를 a에 관한 식으로 나타내시오.

[2.3] 문항 [2.2]에서 구한 S에 대하여, $3 \le a \le 5$인 범위에서 $\dfrac{4S}{27(a-2)^2(6-a)}$의 최솟값 을 구하시오.

[문제 3]

[3.1] $n = 1,\ 2,\ 3,\ \cdots$에 대하여 x_n을 구하시오.

[3.2] $n = 1,\ 2,\ 3,\ \cdots$에 대하여 y_n을 구하시오.

[3.3] $n = 1,\ 2,\ 3,\ \cdots$에 대하여 삼각형 $P_nP_{n+1}Q_n$의 넓이를 A_n이라고 할 때, $\displaystyle\sum_{n=1}^{10} A_nA_{n+1}$ 의 값을 구하시오.

[3.4] 문항 [3.3]에서 구한 A_n에 대하여 급수 $\displaystyle\sum_{n=1}^{\infty} A_nA_{n+1}$의 합을 구하시오.

[문제 1]

[1.1]

1은 홀수이므로 $f(1)$의 가능한 값은 조건 (가)로부터 2, 3, 5, 7 중 하나이다. $f(1) = 2$인 경우, 차례로

$$f(2) = 4, \ f(3) = 5, \ f(4) = 6, \ f(5) = 7, \ f(6) = 8$$

이다. 또 $f(1) = 3$인 경우,

$$f(2) = 4, \ f(3) = 5, \ f(4) = 6, \ f(5) = 7, \ f(6) = 8$$

이다. $f(1) = 5$인 경우, $f(3) = 7$이다. 그러나 조건 (다)에 의해 $f(5)$는

$$7 = f(3) < f(5)$$

인 소수이고 7보다 큰 소수는 Y의 원소가 아니므로 f는 함수가 아니다.

$f(1) = 7$인 경우, $f(3)$은

$$7 = f(1) < f(3)$$

인 소수이고 마찬가지로 7보다 큰 소수는 Y의 원소가 아니므로 f는 함수가 아니다. 따라서 함수 f의 개수는 2개다.

[1.2]

삼각형 $Q_1 P_2 O$은 각 $Q_1 P_2 O$가 직각인 직각이등변삼각형이고 빗변의 길이가 1이므로

$$\overline{Q_1 P_2} = \overline{OP_2} = \frac{1}{\sqrt{2}}, \ \overline{P_1 P_2} = 1 - \frac{1}{\sqrt{2}}$$

이다. 따라서 $a_1 = \dfrac{\sqrt{2} - 1}{4}$이다. 모든 자연수 n에 대하여 삼각형 $Q_n P_{n+1} O$이 각 $Q_n P_{n+1} O$가 직각인 직각이등변삼각형이므로,

$$\overline{Q_n P_{n+1}} = \overline{OP_{n+1}}, \ \overline{OP_{n+1}} = \frac{1}{\sqrt{2}} \overline{OQ_n}$$

이고, 문제의 조건에서 $\overline{OP_n} = \overline{OQ_n}$이다. 따라서

$$\overline{OP_{n+1}} = \frac{1}{\sqrt{2}} \overline{OP_n}, \quad \overline{Q_{n+1} P_{n+2}} = \overline{OP_{n+2}} = \frac{1}{\sqrt{2}} \overline{OP_{n+1}} = \frac{1}{\sqrt{2}} \overline{Q_n P_{n+1}},$$

$$a_n = \frac{1}{2} \times \overline{P_n P_{n+1}} \times \overline{Q_n P_{n+1}} = \frac{1}{2} \times \left(\overline{OP_n} - \overline{OP_{n+1}} \right) \times \overline{Q_n P_{n+1}}$$

로부터

$$a_{n+1} = \frac{1}{2} \times \left(\overline{OP_{n+1}} - \overline{OP_{n+2}} \right) \times \overline{Q_{n+1} P_{n+2}}$$

$$= \frac{1}{2} \times \left(\frac{1}{\sqrt{2}} \overline{OP_n} - \frac{1}{\sqrt{2}} \overline{OP_{n+1}} \right) \times \frac{1}{\sqrt{2}} \times \overline{Q_n P_{n+1}}$$

$$= \frac{1}{4} \times \left(\overline{OP_n} - \overline{OP_{n+1}} \right) \times \overline{Q_n P_{n+1}} = \frac{1}{2} a_n,$$

즉 수열 $\{a_n\}$은 첫째항이 $\dfrac{\sqrt{2}-1}{4}$이고 공비가 $\dfrac{1}{2}$인 등비수열이므로, 급수 $\displaystyle\sum_{n=1}^{\infty} a_n$의 합은

$$\frac{\dfrac{\sqrt{2}-1}{4}}{1-\dfrac{1}{2}} = \frac{\sqrt{2}-1}{2}$$

이다.

[1.3]

첫 번째 입체도형의 부피 V_1을 구하기 위하여, 밑면으로부터 높이가 x일 때 단면의 넓이를 $S_1(x)$라 하면, $S_1(x) = \pi(a^2 - x)$이므로,

$$V_1 = \int_0^{a^2} \pi(a^2 - x)dx = \frac{1}{2}\pi a^4$$

이다. 또 두 번째 입체도형의 부피 V_2를 구하기 위하여, 밑면으로부터 높이가 x일 때 단면의 넓이를 $S_2(x)$라 하면, $S_2(x) = \pi(a-x)^4$이므로 $V_2 = \displaystyle\int_0^a \pi(a-x)^4 dx$이다. $t = a - x$로 놓으면 $\dfrac{dt}{dx} = -1$이므로,

$$V_2 = \int_a^0 \pi t^4(-dt) = \int_0^a \pi t^4 dt = \frac{1}{5}\pi a^5$$

이다. $V_1 = V_2$를 만족하는 양의 실수인 a는 $\dfrac{5}{2}$이다.

[문제 2]

[2.1]

곡선 $y = f(x)$의 도함수

$$f'(x) = 3x^2 - 3a = 3(x + \sqrt{a})(x - \sqrt{a})$$

로부터 $y = f(x)$의 증감표는 다음과 같다.

x	$\cdots$	$-\sqrt{a}$	$\cdots$	$\sqrt{a}$	$\cdots$
$f'(x)$	>0	0	<0	0	>0
y	증가	극대	감소	극소	증가

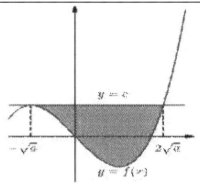

이를 이용하여 곡선 $y = f(x)$의 그래프를 그려보면 직선 $y = c$와 곡선 $y = f(x)$가 두 점에서 만나기 위해서는 c가 $y = f(x)$의 극댓값 혹은 극솟값과 같아야 한다는 것을 알 수 있다. 극댓값은 $f(-\sqrt{a}) = 2a\sqrt{a}$이고 극솟값은 $f(\sqrt{a}) = -2a\sqrt{a}$이므로 구하는 값은 $c = 2a\sqrt{a}$이다.

[2.2]

직선 $y = 2a\sqrt{a}$와 곡선 $y = f(x)$의 교점의 x좌표는
$$x^3 - 3ax - 2a\sqrt{a} = (x + \sqrt{a})^2 (x - 2\sqrt{a}) = 0$$
으로부터 $x = -\sqrt{a}$또는 $x = 2\sqrt{a}$이다.

이 구간에서 직선 $y = 2a\sqrt{a}$가 곡선 $y = f(x)$보다 위쪽에 위치하므로
$$\begin{aligned} S &= \int_{-\sqrt{a}}^{2\sqrt{a}} (2a\sqrt{a} - (x^3 - 3ax))dx \\ &= \left[2a\sqrt{a}\, x - \frac{x^4}{4} + \frac{3ax^2}{2} \right]_{-\sqrt{a}}^{2\sqrt{a}} \\ &= \frac{27}{4}a^2 \end{aligned}$$

이다.

[2.3]

$g(x) = \dfrac{x^2}{(x-2)^2 (6-x)}$의 최솟값을 구간 $3 \le x \le 5$에서 구하면 된다. 함수 $y = g(x)$가 닫힌구간에서 연속이므로 최솟값은 구간의 양 끝점 혹은 $g'(x) = 0$을 만족하는 점에서의 함숫값 중 가장 작은 값이다.

$$g'(x) = \frac{2x(x-2)^2(6-x) - x^2\left\{2(x-2)(6-x) - (x-2)^2\right\}}{(x-2)^4(6-x)^2}$$

$$= \frac{x(x^2 + 2x - 24)}{(x-2)^3(6-x)^2}$$

$$= \frac{x(x+6)(x-4)}{(x-2)^3(6-x)^2}$$

이므로 $g'(x) = 0$을 만족하는 값은 구간 $3 \leq x \leq 5$내에서 $x = 4$뿐이다. 그러므로

$$g(3) = 3, \ g(4) = 2, \ g(5) = \frac{25}{9}$$

중 가장 작은 값인 2가 최솟값이다.

[문제 3]

[3.1]

$x^2 > 0$이므로 $\cos x = 0$이 되는 x를 찾으면 된다. 따라서 $x_n = \frac{(2n-1)\pi}{2}$이다.

[3.2]

$f(x)$를 미분하면

$$f'(x) = -\frac{\sin x}{x^2} - \frac{2\cos x}{x^3}$$

이므로

$$f'(x_n) = \frac{-\sin x_n}{x_n^2} - \frac{2\cos x_n}{x_n^3} = -\frac{\sin x_n}{x_n^2} = -\left(\frac{2}{(2n-1)\pi}\right)^2 \sin\frac{(2n-1)\pi}{2}$$

이고, 사인값을 계산하면

$$f'(x_n) = \begin{cases} -\left(\dfrac{2}{(2n-1)\pi}\right)^2, & n = 1, \ 3, \ 5, \ \cdots \\[2mm] \left(\dfrac{2}{(2n-1)\pi}\right)^2, & n = 2, \ 4, \ 6, \ \cdots \end{cases}$$

이다. 따라서 $n = 1, \ 3, \ 5, \ \cdots$일 때 점 P_n에서 곡선 $y = f(x)$의 접선의 방정식은

$$y = -\left(\frac{2}{(2n-1)\pi}\right)^2\left(x - \frac{(2n-1)\pi}{2}\right)$$

이고, 이 직선의 y절편은 $y_n = \frac{2}{(2n-1)\pi}$이다. 또 $n = 2, \ 4, \ 6, \ \cdots$일 때 점 P_n에서 곡선 $y = f(x)$의 접선의 방정식은

$$y = \left(\frac{2}{(2n-1)\pi}\right)^2\left(x - \frac{(2n-1)\pi}{2}\right)$$

이고, 이 직선의 y절편은 $y_n = -\dfrac{2}{(2n-1)\pi}$ 이다. 따라서

$$y_n = \begin{cases} \dfrac{2}{(2n-1)\pi}, & n=1,\ 3,\ 5,\ \cdots \\[3mm] -\dfrac{2}{(2n-1)\pi}, & n=2,\ 4,\ 6,\ \cdots \end{cases}$$

이다.

[3.3]

두 점 P_n과 P_{n+1} 사이의 거리는 π이므로

$$A_n = \frac{1}{2} \times \pi \times \frac{2}{(2n-1)\pi} = \frac{1}{2n-1}$$

이고

$$\sum_{n=1}^{10} A_n A_{n+1} = \sum_{n=1}^{10} \frac{1}{(2n-1)(2n+1)}$$

이다. 부분분수로 바꾸어 계산하면

$$\sum_{n=1}^{10} A_n A_{n+1} = \sum_{n=1}^{10} \frac{1}{2}\left(\frac{1}{2n-1} - \frac{1}{2n+1}\right)$$

$$= \frac{1}{2}\left\{\left(1 - \frac{1}{3}\right) + \left(\frac{1}{3} - \frac{1}{5}\right) + \cdots + \left(\frac{1}{19} - \frac{1}{21}\right)\right\} = \frac{10}{21}$$

이다.

[3.4]

부분합을 구하면

$$S_n = \sum_{k=1}^{n} \frac{1}{(2k-1)(2k+1)} = \sum_{k=1}^{n} \frac{1}{2}\left(\frac{1}{2k-1} - \frac{1}{2k+1}\right) = \frac{n}{2n+1}$$

이므로

$$\sum_{n=1}^{\infty} A_n A_{n+1} = \lim_{n \to \infty} \frac{n}{2n+1} = \frac{1}{2}$$

이다.

4. 2023학년도 서울과기대 수시 논술 (오전)

[문제 1]

[1.1] 곡선 $y = \sqrt{x}$ 위의 점 $P_1(a_1,\ b_1)$에서의 접선이 y축과 만나는 점을 $Q_2(0,\ b_2)$라 하고, 점 Q_2를 지나며 x축에 평행한 직선과 곡선의 교점을 $P_2(a_2,\ b_2)$라 하자. 곡선 $y = \sqrt{x}$ 위의 점 $P_2(a_2,\ b_2)$에서의 접선이 y축과 만나는 점을 $Q_3(0,\ b_3)$이라 하고, 점 Q_3을 지나며 x축에 평행한 직선과 곡선의 교점을 $P_3(a_3,\ b_3)$이라 하자. 이와 같은

과정을 반복하여 얻은 점 $P_n(a_n,\ b_n)$에 대하여 급수 $\sum\limits_{n=1}^{\infty} a_n$의 합을 구하시오. (단, $a_1 = 4$)

[1.2] 함수 $f(x) = \dfrac{\sin x + 3}{\cos x - 1}\ (0 < x < 2\pi)$이 $x = \alpha$에서 극값을 가질 때, $\sin\left(2\alpha + \dfrac{\pi}{4}\right)$의 값을 구하시오.

[1.3] 아래 그림은 곡선 $y = 14\sqrt{x}\,e^x$과 x축, 두 직선 $x = \dfrac{1}{2}$, $x = 1$로 둘러싸인 도형을 밑면으로 하는 입체도형을 나타낸다. 이 입체도형을 x축에 수직인 평면으로 자른 단면은 $\overline{PQ} : \overline{QR} : \overline{RP} = 5 : 6 : 7$인 삼각형 PQR일 때, 이 입체도형의 부피를 구하시오.

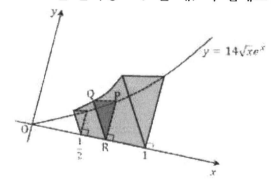

[문제 2]

[2.1] 점 P의 시각 t에서의 위치 $f(t)$를 구하시오.

[2.2] 점 P의 위치가 $x = 2\sqrt{2}$일 때, 빔이 원판에 비친 부분의 넓이를 구하시오.

[2.3] $t = 4 - \sqrt{3}$일 때, 빔이 원판에 비친 부분의 넓이를 구하시오.

[2.4] 센서에서 소리가 나는 시각 t의 범위를 구하시오.

[문제 3]

두 함수 $f(x) = \begin{cases} a\ln x + 6 & (0 < x \le 1) \\ bx + 12 & (x > 1) \end{cases}$, $g(x) = -3x^2 + 6x + c$에 대하여 다음 물음에 답하시오.

[3.1] 함수 $f(x)$가 $x = 1$에서 미분가능할 때, 상수 a, b의 값을 구하시오.

[3.2] 문항 [3.1]을 만족시키는 상수 a, b에 대하여, 방정식 $f(x) = g(x)$의 서로 다른 실근의 개수를 실수 c의 값의 범위에 따라 구하시오.

[3.3] 문항 [3.1]을 만족시키는 상수 a, b에 대하여 방정식 $f(x) = g(x)$가 1개의 실근을

가질 때, 두 곡선 $y=f(x)$, $y=g(x)$와 직선 $x=\dfrac{1}{2}$로 둘러싸인 도형의 넓이를 구하시오.

[문제 1]

[1.1]

$y'=\dfrac{1}{2\sqrt{x}}$ 이므로 점 $\mathrm{P}_n(a_n,\ b_n)$에서의 접선의 방정식은

$$y=\frac{1}{2\sqrt{a_n}}(x-a_n)+b_n=\frac{1}{2\sqrt{a_n}}x+\frac{\sqrt{a_n}}{2}$$

이다. 접선의 y절편 $b_{n+1}=\dfrac{\sqrt{a_n}}{2}$이고 $b_{n+1}=\sqrt{a_{n+1}}$이므로,

$\sqrt{a_{n+1}}=\dfrac{\sqrt{a_n}}{2}$ 즉, $a_{n+1}=\dfrac{1}{4}a_n$이다. 따라서 수열 $\{a_n\}$은 첫째항이 4이고 공비가 $\dfrac{1}{4}$인 등비수열이므로, 급수의 합은

$$\sum_{n=1}^{\infty}a_n=\frac{4}{1-\dfrac{1}{4}}=\frac{16}{3}$$

이다.

[1.2]

함수 $f(x)$를 미분하면

$$f'(x)=\frac{\cos x(\cos x-1)-(\sin x+3)(-\sin x)}{(\cos x-1)^2}=\frac{1-\cos x+3\sin x}{(\cos x-1)^2}$$

이므로 $f'(x)=0$에서 $\cos x-1=3\sin x$의 양변을 제곱하여 정리하면

$$10\cos^2 x-2\cos x-8=2(5\cos x+4)(\cos x-1)=0$$

이다. $\cos x\neq 1$이므로 $f'(\alpha)=0$에서 $\cos\alpha=-\dfrac{4}{5}$, $\sin\alpha=-\dfrac{3}{5}$이다.

$$\cos 2\alpha=\cos^2\alpha-\sin^2\alpha=\frac{7}{25},\quad \sin 2\alpha=2\sin\alpha\cos\alpha=\frac{24}{25}$$

이므로

$$\sin\left(2\alpha+\frac{\pi}{4}\right)=\sin 2\alpha\cos\frac{\pi}{4}+\cos 2\alpha\sin\frac{\pi}{4}=\frac{31}{50}\sqrt{2}$$

이다.

[1.3]

삼각형 PQR에서 코사인 법칙에 의하여

$$\cos(\angle\mathrm{PQR})=\frac{\overline{\mathrm{PQ}}^2+\overline{\mathrm{QR}}^2-\overline{\mathrm{RP}}^2}{2\overline{\mathrm{PQ}}\cdot\overline{\mathrm{QR}}}=\frac{1}{5}$$

이고

$$\sin(\angle \mathrm{PQR}) = \sqrt{1 - \cos^2(\angle \mathrm{PQR})} = \frac{2\sqrt{6}}{5}$$

이다. 주어진 입체도형을 x축에 수직인 평면으로 자른 단면의 넓이를 $S(x)$라고 하면

$$S(x) = \frac{1}{2}\overline{\mathrm{PQ}} \cdot \overline{\mathrm{QR}} \cdot \sin(\angle \mathrm{PQR}) = 24\sqrt{6}\,xe^{2x}$$

이다. 따라서 입체도형의 부피는

$$\int_{\frac{1}{2}}^{1} 24\sqrt{6}\,xe^{2x}dx = 24\sqrt{6}\left[\frac{1}{2}xe^{2x} - \frac{1}{4}e^{2x}\right]_{\frac{1}{2}}^{1} = 6\sqrt{6}\,e^2$$

이다.

[문제 2]

[2.1]

$v(t)$를 적분하여 $f(t)$를 구하면 다음과 같다.

$$x = f(t) = \begin{cases} -t^2 + c_1 & (0 \le t < 2) \\ t^2 - 8t + c_2 & (2 \le t < 6) \\ -t^2 + 16t + c_3 & (6 \le t \le 8) \end{cases} \text{, (단, } c_1, c_2, c_3 \text{ 는 상수)}$$

이다. $f(0) = 7$이므로 $f(0) = c_1 = 7$이다.

함수 $f(t)$는 연속이므로

$$\lim_{t \to 2-} f(t) = f(2)$$ 에서 $$\lim_{t \to 2-} f(-t^2 + 7) = -12 + c_2 \qquad \therefore c_2 = 15$$

이고,

$$\lim_{t \to 6-} f(t) = f(6)$$ 에서 $$\lim_{t \to 6-} f(t^2 - 8t + 15) = 60 + c_3 \qquad \therefore c_3 = -57$$

따라서 $x = f(t) = \begin{cases} 7 - t^2 & (0 \le t < 2) \\ t^2 - 8t + 15 & (2 \le t < 6) \\ -t^2 + 16t - 57 & (6 \le t \le 8) \end{cases}$

[2.2]

점 P의 위치가 $x = 2\sqrt{2}$일 때 빔과 원판의 위치는 다음 그림과 같다.

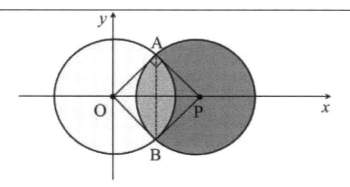

위 그림에서 $\angle \mathrm{AOP} = \dfrac{\pi}{4}$, $\angle \mathrm{AOB} = \dfrac{\pi}{2}$ 이므로 빔이 원판에 비친 부분의 넓이는

$$2\left(\dfrac{1}{2} \times 2^2 \times \dfrac{\pi}{2} - \dfrac{1}{2} \times 2^2\right) = 2\pi - 4$$

이다.

[2.3]

$t = 4 - \sqrt{3}$ 일 때 점 P의 위치는

$$f(4 - \sqrt{3}) = (4 - \sqrt{3})^2 - 8(4 - \sqrt{3}) + 15 = 2$$

이므로 빔과 원판의 위치는 다음 그림과 같다.

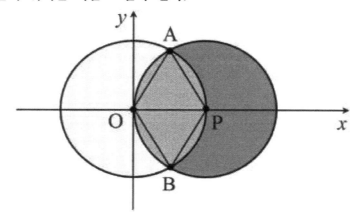

위 그림에서 $\overline{\mathrm{OP}} = \overline{\mathrm{OA}} = \overline{\mathrm{AP}} = 2$ 이므로 $\angle \mathrm{AOP} = \dfrac{\pi}{3}$ 이다. 따라서 빔이 원판에 비친 부분의 넓이는

$$4 \times \dfrac{1}{2} \times 2^2 \times \dfrac{\pi}{3} - 2 \times \dfrac{1}{2} \times 2^2 \times \dfrac{\sqrt{3}}{2} = \dfrac{8\pi}{3} - 2\sqrt{3}$$

이다.

[2.4]

$-4 \leq f(t) \leq 4$ 일 때, 원판이 빔에 닿거나 비추어진다. $f(t) = 4$의 해를 t_1, $t_2\,(t_1 < t_2)$라 하면

$$7 - t_1^2 = 4, \qquad -t_2^2 + 16t_2 - 57 = 4$$

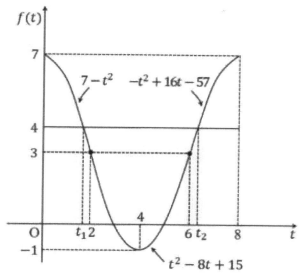

이므로 $t_1 = \sqrt{3}$, $t_2 = 8 - \sqrt{3}$ 이다. 따라서 센서에서 소리가 나는 시각 t의 범위는

$$\sqrt{3} \le t \le 8 - \sqrt{3}$$

이다.

[문제 3]

[3.1]
 함수 $f(x)$가 $x=1$에서 미분가능하면 $x=1$에서 연속이므로,
$$\lim_{x \to 1-} \{a \ln x + 6\} = \lim_{x \to 1+} \{bx + 12\}$$
로부터 $b = -6$이다. 또, $f(x)$의 $x=1$에서의 미분계수 $f'(1)$이 존재하므로,
$$\lim_{x \to 1-} \frac{f(x) - f(1)}{x - 1} = \lim_{x \to 1-} \frac{(a \ln x + 6) - 6}{x - 1} = \lim_{t \to 0-} \frac{a \ln(1 + t)}{t} = a \ln \left\{ \lim_{t \to 0-} (1 + t)^{\frac{1}{t}} \right\} = a$$
$$\lim_{x \to 1+} \frac{f(x) - f(1)}{x - 1} = \lim_{x \to 1+} \frac{(-6x + 12) - 6}{x - 1} = -6$$
로부터 $a = -6$이다.

[3.2]
 함수 $h(x)$를 다음과 같이 정의하자.
$$h(x) = f(x) - g(x) + c = \begin{cases} -6 \ln x + 3x^2 - 6x + 6 & (0 < x \le 1) \\ 3x^2 - 12x + 12 & (x > 1) \end{cases}$$
방정식 $f(x) = g(x)$의 해는 방정식 $h(x) = c$의 해와 같다.
한편 $h(x)$도 $x=1$에서 미분가능하고, $f'(1) = -6$, $g'(1) = -6$이므로
$h'(1) = f'(1) - g'(1) = -6$에서

$$h'(x) = \begin{cases} -\dfrac{6}{x} + 6x - 6 & (0 < x \leq 1) \\ 6x - 12 & (x > 1) \end{cases}$$

이므로 $h'(x) = 0$을 만족시키는 x의 값은 2이다.

또 $\lim\limits_{x \to 0+} h(x) = \infty$, $\lim\limits_{x \to \infty} h(x) = \infty$이므로 함수 $h(x)$의 증가와 감소를 표로 나타내고 이를 이용하여 그래프를 그리면 다음과 같다.

x	(0)	$\cdots$	2	$\cdots$
$h'(x)$		$-$	0	$+$
$h(x)$		$\searrow$	0	$\nearrow$

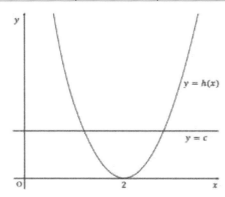

따라서 주어진 방정식의 서로 다른 실근의 개수는

$c < 0$일 때 0, $c = 0$일 때 1, $c > 0$일 때 2이다.

[3.3]

방정식 $f(x) = g(x)$가 $c = 0$일 때 1개의 실근을 가지므로

두 곡선 $y = f(x)$, $y = g(x)$와 직선 $x = \dfrac{1}{2}$로 둘러싸인 도형은 아래 그림과 같다.

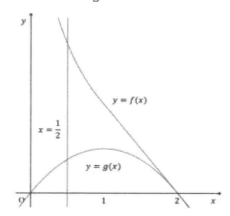

두 곡선은 $x = 2$에서 접하므로 도형의 넓이는 다음과 같다.

$$\int_{\frac{1}{2}}^{2} \{f(x) - g(x)\}dx = \int_{\frac{1}{2}}^{1} (-6\ln x + 6)dx + \int_{1}^{2} (-6x + 12)dx - \int_{\frac{1}{2}}^{2} (-3x^2 + 6x)dx$$

$$= \left[-6x \ln x + 12x\right]_{\frac{1}{2}}^{1} + \left[-3x^2 + 12x\right]_{1}^{2} - \left[-x^3 + 3x^2\right]_{\frac{1}{2}}^{2}$$

$$= \frac{45}{8} - 3\ln 2$$

5. 2023학년도 서울과기대 수시 논술 (오후)

[문제 1]

[1.1] 서로 다른 강아지 4마리와 고양이 5마리 중에서 일부를 선물하려고 한다. 다음을 구하시오.

(1) 연수에게 3마리를 주려고 할 때, 강아지와 고양이를 적어도 1마리씩 주는 경우의 수

(2) 민수와 창수에게 각각 2마리를 주는 경우의 수 (단, 민수에게 고양이를 적어도 1마리 준다면, 창수에게는 강아지를 적어도 1마리 준다.)

[1.2] 수열 $\{a_n\}$이 모든 자연수 n에 대하여

$$a_1 + \frac{a_2}{2} + \cdots + \frac{a_n}{n} = \frac{n(n+5)}{2}$$

를 만족시키고

$$T_n = \frac{1}{a_1} + \frac{1}{a_2} + \cdots + \frac{1}{a_n}$$

이라 할 때, $\lim_{n \to \infty} T_n$의 값을 구하시오.

[1.3] 실수 전체에서 미분가능한 두 함수 $f(x)$, $g(x)$가 다음 두 조건을 모두 만족시킬 때, $g'(3)$의 값을 구하시오.

(가) 모든 실수 x에 대하여 $g(x) = x^2 f(x) - 16$

(나) $\lim_{x \to 3} \dfrac{f(x) - g(x)}{x - 3} = -4$

[문제 2]

[2.1] $\angle OCP$의 크기를 θ에 대한 식으로 나타내시오.

[2.2] S_1을 θ에 대한 식으로 나타내시오.

[2.3] $\theta = \dfrac{\pi}{6}$일 때, 두 점 P, Q를 지나는 직선의 기울기를 구하시오.

[2.4] $0 < \theta < \dfrac{\pi}{2}$일 때, 함수 $f(\theta)$의 최댓값을 구하시오.

[문제 3]

[3.1] 선분 BC의 길이를 구하시오.

[3.2] $\overline{\mathrm{AB}}=\overline{\mathrm{BC}}$를 만족시키는 t의 값을 구하시오.

[3.3] 문항 [3.2]를 만족시키는 t에 대하여, 곡선 $y=f(x)$와 이 곡선 위의 점 A에서의 접선 및 y축으로 둘러싸인 도형의 넓이를 구하시오.

[문제 1]

[1.1]

(1) 연수에게 강아지 1마리와 고양이 2마리, 그리고 강아지 2마리와 고양이 1마리를 주는 경우의 수는

$$_4\mathrm{C}_1 \times {}_5\mathrm{C}_2 + {}_4\mathrm{C}_2 \times {}_5\mathrm{C}_1 = 70$$

이다.

(2) 두 사람에게 각각 2마리를 주는 전체 경우의 수는 $_9\mathrm{C}_2 \times {}_7\mathrm{C}_2$이다. 이 중,

(a) 고양이와 강아지를 1마리씩 민수에게 주고, 고양이 2마리를 창수에게 주는 경우

(b) 고양이 2마리를 민수에게 주고, 나머지 고양이 중 2마리를 창수에게 주는 경우

를 모두 빼면

$$_9\mathrm{C}_2 \times {}_7\mathrm{C}_2 - \left({}_5\mathrm{C}_1 \times {}_4\mathrm{C}_1 \times {}_4\mathrm{C}_2 + {}_5\mathrm{C}_2 \times {}_3\mathrm{C}_2 \right) = 756 - (120 + 30) = 606$$

이다.

[1.2]

$a_1 = \dfrac{1 \times 6}{2} = 3$이고, $n \geq 2$일 때

$$\frac{a_n}{n} = \left(a_1 + \frac{a_2}{2} + \cdots + \frac{a_n}{n} \right) - \left(a_1 + \frac{a_2}{2} + \cdots + \frac{a_{n-1}}{n-1} \right)$$

$$= \frac{n(n+5)}{2} - \frac{(n-1)(n+4)}{2}$$

$$= n+2$$

이므로 $a_n = n(n+2)$이다. 이것은 $n=1$인 경우도 포함하므로

$$a_n = n(n+2) \ \ (n \geq 1)$$

이고

$$T_n = \sum_{k=1}^{n} \frac{1}{k(k+2)} = \frac{1}{2} \sum_{k=1}^{n} \left(\frac{1}{k} - \frac{1}{k+2} \right) = \frac{1}{2} \left(1 + \frac{1}{2} - \frac{1}{n+1} - \frac{1}{n+2} \right)$$

이다. 따라서

$$\lim_{n \to \infty} T_n = \lim_{n \to \infty} \frac{1}{2} \left(\frac{3}{2} - \frac{1}{n+1} - \frac{1}{n+2} \right) = \frac{3}{4}$$

이다.

[1.3]

주어진 조건으로부터

$$g(3) = 9f(3) - 16, \quad f(3) = g(3)$$

이므로 $g(3) = f(3) = 2$이다. 첫 번째 조건식의 양변을 x에 관하여 미분하고 $x = 3$을 대입하면

$$g'(3) = 12 + 9f'(3)$$

이고, 두 번째 조건으로부터

$$\lim_{x \to 3} \frac{f(x) - g(x)}{x - 3} = \lim_{x \to 3}\left(\frac{f(x) - f(3)}{x - 3} - \frac{g(x) - g(3)}{x - 3}\right) = f'(3) - g'(3) = -4$$

이다. 따라서 $g'(3) = 3$이다.

[문제 2]

[2.1]

삼각형 OCP는 이등변삼각형이고 $\angle OPC = \angle POC = \dfrac{\pi}{2} - \theta$이므로

$$\angle OCP = \pi - \angle POC - \angle OPC = 2\theta$$

이다.

[2.2]

부채꼴 OCP의 넓이는

$$\frac{1}{2} \times 2^2 \times 2\theta = 4\theta$$

이고, 삼각형 OCP의 넓이는

$$\frac{1}{2} \times 2 \times 2 \sin 2\theta = 2 \sin 2\theta$$

이므로 $S_1 = 2(2\theta - \sin 2\theta)$이다.

[2.3]

점 P의 좌표를 $(x,\ y)$라 하면

$$x = 2 - 2\cos\frac{\pi}{3} = 1, \quad y = 2\sin\frac{\pi}{3} = \sqrt{3}$$

이고, 점 Q의 좌표는 $\left(0,\ \dfrac{2\pi}{3}\right)$이므로 점 P와 점 Q를 지나는 직선의 기울기는

$$\frac{\sqrt{3} - \dfrac{2\pi}{3}}{1 - 0} = \sqrt{3} - \frac{2\pi}{3}$$

이다.

[2.4]

점 P의 좌표를 $(x,\ y)$라 하면

$$x = 2 - 2\cos 2\theta,\ \ y = 2\sin 2\theta$$

이고, 점 Q의 좌표는 $(0,\ 4\theta)$이므로 점 P와 점 Q를 지나는 직선의 기울기는

$$\frac{2\sin 2\theta - 4\theta}{2 - 2\cos 2\theta} = \frac{\sin 2\theta - 2\theta}{1 - \cos 2\theta}$$

이다. 또 점 P와 점 Q를 지나는 직선의 방정식은

$$y = \frac{\sin 2\theta - 2\theta}{1 - \cos 2\theta}x + 4\theta$$

이므로 점 R의 x좌표는 $x = \dfrac{4\theta(1 - \cos 2\theta)}{2\theta - \sin 2\theta}$ 이고,

$$S_2 = \frac{1}{2} \times \frac{4\theta(1 - \cos 2\theta)}{2\theta - \sin 2\theta} \times 2\sin 2\theta = \frac{4\theta\sin 2\theta(1 - \cos 2\theta)}{2\theta - \sin 2\theta}$$

이다. 따라서

$$f(\theta) = \frac{S_1 \times S_2}{\theta} = 8\sin 2\theta(1 - \cos 2\theta)$$

이다. $f(\theta)$를 θ에 대하여 미분하면

$$f'(\theta) = 16\cos 2\theta(1 - \cos 2\theta) + 16\sin^2 2\theta = 16(1 - \cos 2\theta)(1 + 2\cos 2\theta)$$

인데 $0 < \theta < \dfrac{\pi}{2}$에서 $\cos 2\theta \neq 1$이므로 $\cos 2\theta = -\dfrac{1}{2}$, 즉 $\theta = \dfrac{\pi}{3}$일 때 $f'(\theta) = 0$이다.

$f'(\theta)$의 부호를 조사하여 $f(\theta)$의 증가와 감소를 표로 나타내면 다음과 같다.

θ	(0)	$\cdots$	$\dfrac{\pi}{3}$	$\cdots$	$\left(\dfrac{\pi}{2}\right)$
$f'(\theta)$		$+$	0	$-$	
$f(\theta)$		$\nearrow$	최대	$\searrow$	

따라서 함수 $f(\theta)$는 $\theta = \dfrac{\pi}{3}$에서 최댓값

$$f\left(\frac{\pi}{3}\right) = 8\sin \frac{2\pi}{3}\left(1 - \cos \frac{2\pi}{3}\right) = 6\sqrt{3}$$

을 갖는다.

[문제 3]

[3.1]

$g(x)$는 함수 $f(x) = \dfrac{1}{9}(x + 1)^2 + 2$의 역함수이므로

$$g(x) = 3\sqrt{x - 2} - 1$$

이다. 직선 BC의 기울기가 -1이므로, 점 C는 점 B를 x축의 방향으로 c(상수)만큼, y축의 방향으로 $-c$만큼 평행 이동한 점이다. 점 B는 $y = g(x)$ 위에 있고, 점 C는 $y = h(x)$

146

위에 있는데, 함수 $h(x)=3\sqrt{x-3}-2$의 그래프는 함수 $g(x)=3\sqrt{x-2}-1$의 그래프를 x축의 방향으로 1만큼, y축의 방향으로 -1만큼 평행 이동한 것이므로 $c=1$이다.
따라서 $\overline{\mathrm{BC}}=\sqrt{2}$이다.

[3.2]

$g(x)$는 함수 $f(x)$의 역함수이고 선분 AB의 기울기가 -1이므로, 두 점 A와 B는 직선 $y=x$에 대하여 대칭이다. 따라서 A$(p,\ t)$라 하면 B$(t,\ p)$이다. (단, $t>p$)
$$\overline{\mathrm{AB}}=\sqrt{2(p-t)^2}$$
이다. $\overline{\mathrm{AB}}=\overline{\mathrm{BC}}=\sqrt{2}$이므로 $t=p+1$
한편 A은 $y=f(x)$위의 점이므로
$$t=\frac{1}{9}(p+1)^2+2\text{에서 } t=\frac{1}{9}t^2+2$$
$$t^2-9t+18=(t-3)(t-6)=0$$
이다. 그런데 $\frac{5}{2}<t<5$이므로 $t=3$이다.

[3.3]

$t=3$을 대입하면, A$(2,\ 3)$이다. 곡선 $y=f(x)$ 위의 점 A$(2,\ 3)$에서의 접선의 기울기는
$$f'(2)=\frac{2}{9}(2+1)=\frac{2}{3}$$
이므로, 접선의 방정식은 $y=\frac{2}{3}x+\frac{5}{3}$이다. 따라서 구하는 도형의 넓이는
$$\int_0^2\left\{\frac{1}{9}(x+1)^2+2-\frac{2}{3}x-\frac{5}{3}\right\}dx=\frac{8}{27}$$
이다.

6. 2023학년도 서울과기대 모의 논술

[문제 1]

[1.1] 집합 $\{-1,\ 1,\ 3\}$이 함수 $f(x)=a\sin x+a^2-3$의 치역에 포함되기 위한 a의 최솟값을 구하시오.

[1.2] 등비수열 $\{a_n\}$과 수열 $\{b_n\}$이 다음 조건을 만족할 때, $\{a_n\}$의 공비를 구하시오.(단, $a_1\neq 0$)

(1) 급수 $\displaystyle\sum_{n=1}^{\infty}a_n$이 수렴

(2) $\displaystyle\lim_{n\to\infty}b_n=2a_1$

(3) $\displaystyle\sum_{n=1}^{\infty} a_n = \lim_{n \to \infty}(a_n + b_n)$

[1.3] 함수 $f(x) = \dfrac{1}{1+e^{-x}}$, $g(x) = \ln\dfrac{x}{1-x}$에 대하여, $h(x) = g(f(x))$로 정의할 때 $h'(x)$를 구하시오.

[문제 2]

[2.1] 직선 l_2의 방정식을 구하시오.

[2.2] 두 직선 l_1과 l_2의 교점을 P라 할 때, 점 P는 항상 x축 위의 점임을 보이시오.

[2.3] 점 A에서 x축에 내린 수선의 발을 H라 하고 점 H를 지나며 l_2와 평행인 직선을 l_3이라 할 때, 직선 l_3의 방정식을 구하시오.

[2.4] 점 B에서 x축에 내린 수선의 발을 H′이라 하고 점 H′을 지나며 l_1과 평행인 직선을 l_4라 하자. 두 직선 l_3과 l_4의 교점을 Q라 할 때, 점 Q의 좌표를 구하시오.

[문제 3]

[3.1] $f(1)$의 값을 구하시오.

[3.2] $1 < x \le 2$일 때, 함수 $f(x)$를 구하시오.

[3.3] 함수 $f(x)$가 닫힌구간 $[1, 2]$에서 연속이 되도록 하는 가장 작은 상수 k의 값을 구하시오.

[3.4] 문항 [3.3]에서 구한 k값에 대하여 곡선 $y = f(x)$와 x축 및 두 직선 $x=1$, $x=2$로 둘러싸인 도형의 넓이를 구하시오.

[문제 1]

[1.1]

 집합이 주어진 함수의 치역에 포함되기 위해서는 함수의 최댓값은 3이상, 함수의 최솟값은 -1이하여야 한다. 주어진 함수의 최댓값은 $a^2 + |a| - 3$이므로 $a^2 + |a| - 3 \ge 3$을 만족해야한다.

$a \ge 0$인 경우

$$a^2 + a - 6 = (a+3)(a-2) \ge 0$$

으로부터 $a \ge 2$를 얻고,

$a < 0$인 경우

$$a^2 - a - 6 = (a-3)(a+2) \ge 0$$

으로부터 $a \le -2$를 얻는다. 비슷한 방법으로 부등식

$$a^2 - |a| - 3 \le -1$$

을 풀면 $-2 \le a \le 2$이므로 $a=2$또는 $a=-2$가 된다. 따라서 구하고자하는 최솟값은 -2 이다.

[1.2]

등비급수 $\displaystyle\sum_{n=1}^{\infty} a_n$이 수렴하므로 수열 a_n의 공비 r은 $-1 < r < 1$을 만족한다. 따라서 등비수열 a_n의 극한은

$$\lim_{n \to \infty} a_n = 0$$

이다. 수열 a_n과 b_n이 모두 수렴하므로

$$\lim_{n \to \infty} (a_n + b_n) = \lim_{n \to \infty} a_n + \lim_{n \to \infty} b_n = 2a_1$$

이 성립한다. 따라서

$$\sum_{n=1}^{\infty} a_n = \frac{a_1}{1-r} = 2a_1$$

로부터 $r = \dfrac{1}{2}$을 얻는다.

[1.3]

$y = f(x)$, $z = h(x) = g(y)$라 놓으면

$$h'(x) = g'(y)y' = \frac{d}{dy}[\ln y - \ln(1-y)] \times \frac{dy}{dx}$$

이다. 여기서

$$\frac{d}{dy}[\ln y - \ln(1-y)] = \frac{y'}{y} + \frac{y'}{1-y} = \frac{y'}{y(1-y)}$$

이고

$$\frac{dy}{dx} = \frac{e^{-x}}{\left(1 - e^{-x}\right)^2}$$

이다. 한편

$$y(1-y) = \frac{1}{1-e^{-x}} \times \frac{e^{-x}}{1-e^{-x}}$$

이므로 $h'(x) = 1$이다.

(별해) 지수-로그함수의 성질을 이용하면

$$h(x) = g(f(x)) = x$$

임을 보일 수 있다. 이로부터 $h'(x) = 1$을 얻는다.

[문제 2]

[2.1]

$y=\dfrac{1}{2}x^2+\dfrac{1}{2}$일 때 $y'=x$이다. 직선 l_1은 점 $\mathrm{A}\!\left(a,\ \dfrac{1}{2}a^2+\dfrac{1}{2}\right)$에서 곡선에 접하므로 접선의 기울기가 a가 되어 l_1의 방정식은 $y=ax-\dfrac{1}{2}a^2+\dfrac{1}{2}$이다. 비슷하게 직선 l_2와 곡선의 접점을 $\left(b,\ \dfrac{1}{2}b^2+\dfrac{1}{2}\right)$이라 하면 l_2의 방정식은 $y=bx-\dfrac{1}{2}b^2+\dfrac{1}{2}$이다. l_1과 l_2가 수직이므로 $ab=-1$즉, $b=-\dfrac{1}{a}$이다. 따라서 l_2의 방정식은 $y=-\dfrac{1}{a}x-\dfrac{1}{2a^2}+\dfrac{1}{2}$이다.

[2.2]

l_1과 l_2의 교점 P의 y좌표가 0임을 보이면 된다. l_2의 방정식 $y=-\dfrac{1}{a}x-\dfrac{1}{2a^2}+\dfrac{1}{2}$의 양변에 a^2을 곱하여 $a^2y=-ax-\dfrac{1}{2}+\dfrac{1}{2}a^2$을 얻고, 이 식과 l_1의 방정식 $y=ax-\dfrac{1}{2}a^2+\dfrac{1}{2}$을 더하면 $(a^2+1)y=0$즉, $y=0$이다. 따라서 P의 y좌표는 항상 0이므로 P는 x축 위의 점이다.

[2.3]

수선의 발 H의 좌표는 $(a,\ 0)$이다. 직선 l_3는 기울기가 $-\dfrac{1}{a}$이고 H를 지나므로 l_3의 방정식은 $y=-\dfrac{1}{a}x+1$이다.

[2.4]

수선의 발 H′의 좌표는 $\left(-\dfrac{1}{a},\ 0\right)$이다. 직선 l_4는 기울기가 a이므로 l_4의 방정식은 $y=ax+1$이다. 이 식과 l_3의 방정식을 연립하면 교점 Q의 좌표는 $(0,\ 1)$이다.

[문제 3]

[3.1]

$x=1$을 대입하면

$$f(1)=\lim_{n\to\infty}\frac{\sin k+1}{1+\cos\dfrac{\pi}{2}+1}=\frac{\sin k+1}{2}$$

이다.

[3.2]

분모와 분자를 x^n으로 나누면

150

$$f(x) = \lim_{n \to \infty} \frac{x \sin kx + \dfrac{1}{x^{n-1}}}{1 + \dfrac{1}{x^{n-1}} \cos \dfrac{\pi x}{2} + \dfrac{1}{x^n}}$$

이다. $x > 1$이므로 제시문 (나)에 의하여 $\displaystyle\lim_{n \to \infty} \frac{1}{x^{n-1}} = \lim_{n \to \infty} \frac{1}{x^n} = 0$이고, 제시문 (가)에 의

하여 $\displaystyle\lim_{n \to \infty} \frac{1}{x^{n-1}} \cos \frac{\pi x}{2} = 0$이므로 $f(x) = x \sin kx$**이다.**

[3.3]

$1 < x \le 2$에서는 연속이므로 $x = 1$에서 연속이 되도록 k값을 구하면 된다. $x = 1$에서 연

속이려면 $\displaystyle\lim_{x \to 1^+} f(x) = f(1)$이어야 하므로

$$\lim_{x \to 1^+} x \sin kx = \sin k = \frac{\sin k + 1}{2}$$

이다. **따라서** $\sin k = 1$**이고** $k = \dfrac{\pi}{2}$**이다.**

[3.4]

$f(x) = x \sin \dfrac{\pi x}{2}$**이므로 구하는 넓이는**

$$S = \int_1^2 x \sin \frac{\pi x}{2} \, dx$$

이다. 부분적분하면

$$\begin{aligned}
S &= \left[x \cdot \left(-\frac{2}{\pi} \cos \frac{\pi x}{2} \right) \right]_1^2 - \int_1^2 \left(-\frac{2}{\pi} \cos \frac{\pi x}{2} \right) dx \\
&= \left[-\frac{2}{\pi} x \cos \frac{\pi x}{2} + \left(\frac{2}{\pi} \right)^2 \sin \frac{\pi x}{2} \right]_1^2 \\
&= \frac{4}{\pi} - \frac{4}{\pi^2}
\end{aligned}$$

이다.

7. 2022학년도 서울과기대 수시 논술 (1차)

[문제 1]

[1.1] 수열 $\{a_n\}$과 $\{b_n\}$에 대하여 $b_1 = 1$이고 $a_n^{b_n} = e$(e는 자연상수)이다. 수열 $\left\{ \dfrac{1}{b_n} \right\}$이 공

차가 $\ln \dfrac{2}{3}$인 등차수열일 때, 급수 $\displaystyle\sum_{n=1}^{\infty} a_n$의 합을 가하시오.

[1.2] 원점에서 출발하여 수직선 위를 움직이는 점 P의 시각 t에서의 위치는
$$x = f(t) = 2 \cos(at + b) + 2 \quad (a > 0,\ 0 \le b \le 2\pi \text{인 상수})$$

이다. 점 P의 시각 t에서의 속도 $v = f'(t)$는 **최댓값이 3**이고, 음이 아닌 모든 실수 t에 대하여 $c(x-2)^2 + 2v^2 = d$ (c, d는 상수)가 성립할 때, $a+b+c+d$의 값을 구하시오.

[1.3] 자연수 a, b, c, d에 대하여 $a(b+c+d) = 14$를 만족하는 순서쌍 (a, b, c, d)의 개수를 구하시오.

[문제 2]

[2.1] $\overline{OA} = \overline{AB}$일 때, t의 값을 구하시오.

[2.2] 문항 [2.1]에서 구한 t에 대하여 $\theta_1 = \angle OAB$, $\theta_2 = \angle ABO$라고 할 때, $\cos(\theta_1 - \theta_2)$의 값을 구하시오.

[2.3] 문항 [2.1]에서 구한 t에 대하여 삼각형 AOB의 외접원의 반지름의 길이를 구하시오.

[문제 3]

[3.1] 점 Q의 좌표를 θ에 대한 식으로 나타내시오.

[3.2] 연필이 매달린 실을 점 Q에서 곡선 $y = \sqrt{4-x^2}$의 접선 방향으로 팽팽하게 당겼을 때, 점 P의 좌표를 θ에 대한 식으로 나타내시오.

[3.3] 문항 [3.2]에서 점 Q가 점 B에서 점 $(0, 2)$까지 곡선 $y = \sqrt{4-x^2}$ 위를 움직일 때, 점 P가 그리는 도형의 길이를 구하시오.

[3.4] 점 P는 점 B에서 출발하여 x축과 다시 만날 때까지 반시계 방향으로 움직인다. 이때 점 P가 그리는 도형의 길이를 구하시오.

[문제 1]

[1.1]

$b_1 = 1$이므로 $a_1 = e$이다. $a_n^{b_n} = e$의 양변에 자연로그를 취하면 $b_n \ln a_n = 1$이다. $\ln a_n = \dfrac{1}{b_n}$이고 $\left\{ \dfrac{1}{b_n} \right\}$이 공차가 $\ln \dfrac{2}{3}$인 등차수열이므로

$$\ln a_{n+1} = \ln a_n + \ln \frac{2}{3}, \quad a_{n+1} = \frac{2}{3} a_n$$

이다. $\{a_n\}$은 첫째항이 e이고 공비가 $\dfrac{2}{3}$인 등비수열이므로

$$\sum_{n=1}^{\infty} a_n = \frac{e}{1-\frac{2}{3}} = 3e$$

이다.

[1.2]

$t=0$일 때 $x=0$이므로, $f(0)=2\cos b+2=0$이고 $b=\pi$이다. $v=f'(t)=2a\sin at$의 최

댓값은 $2a$이므로 $a=\dfrac{3}{2}$이다. 즉

$$x=2\cos\left(\frac{3}{2}t+\pi\right)+2=-2\cos\left(\frac{3}{2}t\right)+2, \quad v=3\sin\left(\frac{3}{2}t\right)$$

이다. 이를 $c(x-2)^2+2v^2=d$에 대입하면,

$$4c\cos^2\left(\frac{3}{2}t\right)+18\sin^2\left(\frac{3}{2}t\right)=d$$

이다. $t=\dfrac{\pi}{3}$이면 $d=18$, $t=0$이면 $4c=d$즉 $c=\dfrac{9}{2}$이다. 따라서

$$a+b+c+d=\frac{3}{2}+\pi+\frac{9}{2}+18=\pi+24$$

이다.

[1.3]

14의 약수는 1, 2, 7, 14로 모두 4개이며, $b+c+d \geq 3$이므로 a는 1 또는 2이다. $a=1$

일 때,

$b+c+d=14$를 만족하는 자연수 b, c, d의 순서쌍의 개수는

$$_3H_{14-3} = {}_{13}C_{11} = 78$$

이다. 마찬가지로 $a=2$일 때, $b+c+d=7$을 만족하는 자연수 b, c, d의 순서쌍의 개수는

$$_3H_{7-3} = {}_{6}C_4 = 15$$

이다. 따라서 위 조건을 만족하는 순서쌍 $(a,\ b,\ c,\ d)$는 총 93개다.

[문제 2]

[2.1]

점 A의 좌표는 $\left(\sqrt{25-t^2},\ t\right)$, 점 B의 좌표는 $\left(\sqrt{64-t^2},\ t\right)$이고 $\overline{OA}=5$이므로

$$\sqrt{64-t^2}-\sqrt{25-t^2}=5$$

이고 방정식을 풀면 $t=\dfrac{24}{5}$이다.

[2.2]

코사인법칙에 의해

$$\overline{OB}^2 = \overline{OA}^2 + \overline{AB}^2 - 2\,\overline{OA}\cdot\overline{AB}\cos\theta_1$$

$$64 = 25 + 25 - 2 \times 5 \times 5 \cos\theta_1$$

이고 따라서 $\cos\theta_1 = -\dfrac{7}{25}$ 이다. 여기서 $\sin\theta_1 = \sqrt{1 - \left(-\dfrac{7}{25}\right)^2} = \dfrac{24}{25}$ 이다.

$$\cos 2\theta_2 = \cos(\pi - \theta_1) = -\cos\theta_1 = \dfrac{7}{25}, \quad \cos(\theta_2 + \theta_2) = 2\cos\theta_2\cos\theta_2 - 1$$

이므로

$$\cos^2\theta_2 = \dfrac{16}{25}$$

이다.

θ_2는 예각이므로 $\cos\theta_2 = \dfrac{4}{5}$ 이다. 또 $\sin\theta_2 = \sqrt{1 - \left(\dfrac{4}{5}\right)^2} = \dfrac{3}{5}$ 이다. 따라서

$$\cos(\theta_1 - \theta_2) = \cos\theta_1\cos\theta_2 + \sin\theta_1\sin\theta_2 = -\dfrac{7}{25} \times \dfrac{4}{5} + \dfrac{24}{25} \times \dfrac{3}{5} = \dfrac{44}{125}$$

이다.

[2.3]
사인법칙에 의해 삼각형 AOB의 외접원의 반지름의 길이는

$$\dfrac{1}{2} \times \dfrac{\overline{OB}}{\sin\theta_1} = \dfrac{1}{2} \times \dfrac{8}{\dfrac{24}{25}} = \dfrac{25}{6}$$

이다.

[문제 3]
[3.1]
점 Q의 좌표는 $(2\cos\theta,\ 2\sin\theta)$이다.

[3.2]
$\overline{PQ}$는 호 QB의 길이와 같으므로 $\overline{PQ} = 2\theta$이다. 점 P에서 y축에 내린 수선의 발을 H라고 하면, $\angle QPH = \dfrac{\pi}{2} - \theta$이고 $0 \le \theta \le \dfrac{\pi}{2}$이므로

$$x = 2\cos\theta + 2\theta\cos\left(\dfrac{\pi}{2} - \theta\right) = 2(\cos\theta + \theta\sin\theta)$$
$$y = 2\sin\theta - 2\theta\sin\left(\dfrac{\pi}{2} - \theta\right) = 2(\sin\theta - \theta\cos\theta)$$

이다. 따라서 점 P의 좌표는 $(2(\cos\theta + \theta\sin\theta),\ 2(\sin\theta - \theta\cos\theta))$이다.

[3.3]

$\dfrac{dx}{d\theta}=2\theta\cos\theta,\ \dfrac{dy}{d\theta}=2\theta\sin\theta$이고 θ의 범위는 $0\leq\theta\leq\dfrac{\pi}{2}$이다. 따라서 점 P가 그리는 도형의 길이 l_1은

$$l_1=\int_0^{\frac{\pi}{2}}\sqrt{\left(\dfrac{dx}{d\theta}\right)^2+\left(\dfrac{dy}{d\theta}\right)^2}\,d\theta=\int_0^{\frac{\pi}{2}}2\theta d\theta=\dfrac{\pi^2}{4}$$

이다.

[3.4]

정사각형의 윗변에 있는 실이 움직이면 점 P는 반지름의 길이가 $2+\pi$인 원에서 중심각 $\dfrac{\pi}{6}$인 호를 따라 움직인 것이므로 이때의 거리 l_2는

$$l_2=(2+\pi)\times\dfrac{\pi}{6}=\dfrac{\pi}{3}+\dfrac{\pi^2}{6}$$

이다. 모든 실이 움직여서 점 P가 x축과 다시 만날 때까지 반시계방향으로 움직이면 점 P는 반지름의 길이가 $6+\pi$인 원에서 중심각 $\dfrac{5}{6}\pi$인 호를 따라 움직인 것이므로 이때의 거리 l_3는

$$l_3=(6+\pi)\times\dfrac{5}{6}\pi=5\pi+\dfrac{5}{6}\pi^2$$

이다. 따라서 점 P가 그리는 도형의 길이는

$$l_1+l_2+l_3=\dfrac{16}{3}\pi+\dfrac{5}{4}\pi^2$$

이다.

8. 2022학년도 서울과기대 수시 논술 (2차)

[문제 1]

[1.1] 0이 아닌 실수 a에 대하여 직선 $y=ax-3$과 곡선 $y=a\sqrt{x}$가 접할 때, 접점의 좌표와 a의 값을 구하시오.

[1.2] 두 등비수열 $\{a_n\}$, $\{b_n\}$에 대하여 $a_1b_1=1$이고 $a_2b_1+b_2a_1=0$이다. 수열 $\{c_n\}$은 첫째항이 b_1과 같고 공비가 수열 $\{a_n\}$의 공비와 같은 등비수열이고, 수열 $\{d_n\}$은 첫째항이 a_1과 같고 공비가 수열 $\{b_n\}$의 공비와 같은 등비수열이다. 급수의 합이

$$\sum_{n=1}^{\infty}c_n=1,\ \sum_{n=1}^{\infty}d_n=2$$

일 때, 급수 $\displaystyle\sum_{n=1}^{\infty}\left(a_n+2b_n\right)$의 합을 구하시오.

[1.3] 곡선 $y=x^3-6x^2+7$과 곡선 위의 점 $(0,\ 7)$에서의 접선으로 둘러싸인 도형의 넓이

를 구하시오.

[문제 2]

[2.1] 점 C의 x좌표를 a와 b에 대한 식으로 나타내시오.

[2.2] 곡선 $y = \ln x$와 두 선분 AC_1, BC_1으로 둘러싸인 도형의 넓이 S를 a와 b에 대한 식으로 나타내시오.

[2.3] $b = 2a$일 때, 문항 [2.2]의 넓이 S의 최댓값을 구하시오.

[문제 3]

[3.1] 점 O에서 출발하여 직선도로 OA와 AB를 거쳐 B에 이르기까지 필요한 연료의 총량 $f(x)$를 구하시오.

[3.2] $k = \dfrac{3}{2}$일 경우에는 $x = \sqrt{2}$일 때 문항 [3.1]의 $f(x)$가 최소가 된다. 이때 θ_1의 값을 구하시오.

[3.3] $k = \dfrac{3}{2}$일 경우에는 $x = \sqrt{2}$일 때 문항 [3.1]의 $f(x)$가 최소가 된다. 이때 h의 값을 구하시오.

[문제 1]

[1.1]

$f(x) = ax - 3$, $g(x) = a\sqrt{x}$ 라고 하자. 접점에서의 접선이 $y = f(x)$이므로

$$a = g'(x) = \frac{1}{2}ax^{-\frac{1}{2}}, \quad x = \frac{1}{4}$$

이다. $f(x)$와 $g(x)$에 $x = \dfrac{1}{4}$을 대입하면

$$f\left(\frac{1}{4}\right) = \frac{a}{4} - 3 = a\sqrt{\frac{1}{4}} = g\left(\frac{1}{4}\right)$$

이므로 $a = -12$이다. 앞서 구한 $x = \dfrac{1}{4}$과 $a = -12$를 직선의 방정식에 대입하면

$$y = -12 \times \frac{1}{4} - 3 = -6$$

이다. 따라서 접점의 좌표와 상수 a는 각각 $\left(\dfrac{1}{4}, -6\right)$과 -12이다.

[1.2]

수열 $\{a_n\}$의 공비를 r이라고 하면 수열 $\{b_n\}$의 첫째항은 $\dfrac{1}{a_1}$이고 공비는 $-r$이다. 따라서

156

$$\sum_{n=1}^{\infty} c_n = \frac{\dfrac{1}{a_1}}{1-r} = 1, \quad \sum_{n=1}^{\infty} d_n = \frac{a_1}{1+r} = 2 \, (-1 < r < 1)$$

이다. 첫 번째 식으로부터 구한 $a_1 = \dfrac{1}{1-r}$을 두 번째 식에 대입하면

$$(1-r)(1+r) = \frac{1}{2}$$

이므로, $r = \dfrac{\sqrt{2}}{2}$ 또는 $r = -\dfrac{\sqrt{2}}{2}$ 이다.

$r = \dfrac{\sqrt{2}}{2}$ 일 때 $a_1 = 2 + \sqrt{2}$ 이고

$$\sum_{n=1}^{\infty} a_n + 2\sum_{n=1}^{\infty} b_n = \frac{a_1}{1-r} + 2\frac{\dfrac{1}{a_1}}{1+r} = (6 + 4\sqrt{2}) + 2(3 - 2\sqrt{2}) = 12$$

이다. 마찬가지로 $r = -\dfrac{\sqrt{2}}{2}$ 일 때, $a_1 = 2 - \sqrt{2}$ 이고

$$\sum_{n=1}^{\infty} a_n + 2\sum_{n=1}^{\infty} b_n = \frac{a_1}{1-r} + 2\frac{\dfrac{1}{a_1}}{1+r} = (6 - 4\sqrt{2}) + 2(3 + 2\sqrt{2}) = 12$$

이다. 따라서 구하는 값은 12이다.

[1.3]

곡선 $y = f(x) = x^3 - 6x^2 + 7$의 함수를 미분하면
$$f'(x) = 3x^2 - 12x = 3x(x-4)$$
이다. 따라서 점 $(0, 7)$에서 곡선에 접하는 접선의 기울기는 0이고 접선의 방정식은 $y = 7$
이다. 접선 $y = 7$과 곡선 $y = f(x)$의 교점의 x좌표는
$$x^3 - 6x^2 = x^2(x-6) = 0$$
이므로 $x = 0$, $x = 6$이다. 또한 $y = f(x)$의 증가와 감소를 표로 나타내면

x	$\cdots$	0	$\cdots$	4	$\cdots$
$f'(x)$	$+$	0	$-$	0	$+$
$f(x)$	↗	7(극대)	↘	-25(극소)	↗

이므로, $y = f(x)$는 $x = 0$에서 극댓값을 갖고, 구간 $0 \le x \le 6$에서 $y = 7$보다 아래에 위치
한다. 따라서 구하는 도형의 넓이는

$$\int_0^6 \{7 - (x^3 - 6x^2 + 7)\}dx = \int_0^6 (6x^2 - x^3)dx = \left[2x^3 - \frac{x^4}{4}\right]_0^6 = 108$$

이다.

[문제 2]

[2.1]

$y' = \dfrac{1}{x}$ 이고 직선 AB의 기울기는 $\dfrac{\ln b - \ln a}{b-a}$ 이므로

$$\frac{1}{x} = \frac{\ln b - \ln a}{b-a}$$

이고, $x = \dfrac{b-a}{\ln b - \ln a}$ 이다.

[2.2]

넓이 S는 x축과 곡선 $y = \ln x$ 사이의 넓이에서 삼각형 A_1AC_1과 삼각형 C_1BB_1의 넓이를 빼면 구할 수 있다. 따라서

$$S = -\int_a^b \ln x \, dx - \frac{1}{2}\left(\frac{b-a}{\ln b - \ln a} - a\right) \times (-\ln a) - \frac{1}{2}\left(b - \frac{b-a}{\ln b - \ln a}\right) \times (-\ln b)$$
$$= -\frac{1}{2}(b\ln b - a\ln a) + \frac{1}{2}(b-a)$$

이다.

[2.3]

$b = 2a$ 이므로 넓이 S는 a에 대한 함수

$$S(a) = -\frac{1}{2}\{2a\ln(2a) - a\ln a\} + \frac{1}{2}a = -a\ln 2 - \frac{1}{2}a\ln a + \frac{1}{2}a$$

이고

$$S'(a) = -\ln 2 - \frac{1}{2}\ln a$$

이다. 따라서 $a = \dfrac{1}{4}$ 일 때, $S'(a) = 0$이다. 이때 $S'(a)$의 부호는 양에서 음으로 바뀌므로 최댓값은

$$S\left(\frac{1}{4}\right) = -\frac{1}{2}\left(\frac{1}{2}\ln\frac{1}{2} - \frac{1}{4}\ln\frac{1}{4}\right) + \frac{1}{8} = \frac{1}{8}$$

이다.

[문제 3]

[3.1]

각 도로의 길이는

$$\overline{OA} = \sqrt{(d-x)^2 + 1}, \quad \overline{AB} = \sqrt{x^2 + 4}$$

이므로 필요한 총 연료의 양은

$$f(x) = \sqrt{(d-x)^2 + 1} + k\sqrt{x^2 + 4}$$

이다.

[3.2]

$f'(x) = 0$일 때, $f(x)$가 최소이므로

$$f'(x) = \frac{x-d}{\sqrt{(d-x)^2+1}} + \frac{kx}{\sqrt{x^2+4}} = 0$$

이다. 주어진 값 $k = \frac{3}{2}$과 $x = \sqrt{2}$를 위 방정식에 대입하면

$$\frac{\sqrt{2}-d}{\sqrt{(d-\sqrt{2})^2+1}} + \frac{3}{2} \times \frac{\sqrt{2}}{\sqrt{2+4}} = 0$$

이고 $d = \sqrt{2} \pm \sqrt{3}$이다. $d > 0$이므로 $d = \sqrt{2}+\sqrt{3}$이고, θ_1이 예각인 직각삼각형에서

$$\tan\theta_1 = \frac{d-x}{1} = \sqrt{3}$$

이므로 $\theta_1 = \frac{\pi}{3}$이다.

[3.3]

h가 한 변인 직각삼각형에서

$$h = \overline{AB}\sin(\theta_1-\theta_2) = \overline{AB}(\sin\theta_1\cos\theta_2 - \cos\theta_1\sin\theta_2)$$

이다. 주어진 값 $k = \frac{3}{2}$, $x = \sqrt{2}$와 문항 [3.2]에서 구한 $\theta_1 = \frac{\pi}{3}$를 이용하면

$$\overline{AB} = \sqrt{6}, \quad \sin\theta_1 = \frac{\sqrt{3}}{2}, \quad \cos\theta_1 = \frac{1}{2}$$

이고

$$\sin\theta_2 = \frac{\sqrt{2}}{\sqrt{6}} = \frac{1}{\sqrt{3}}, \quad \cos\theta_2 = \sqrt{1-\sin^2\theta_2} = \sqrt{1-\frac{1}{3}} = \sqrt{\frac{2}{3}}$$

이다. 따라서

$$h = \sqrt{6} \times \left(\frac{\sqrt{3}}{2} \times \frac{\sqrt{2}}{\sqrt{3}} - \frac{1}{2} \times \frac{1}{\sqrt{3}} \right) = \sqrt{3} - \frac{1}{\sqrt{2}}$$

이다.

[3.3]

문항 [3.2]에서 구한 $d = \sqrt{2}+\sqrt{3}$이고 $x = \sqrt{2}$이므로, 점 A가 원점인 좌표계에서 점 O와 B의 좌표는 각각 $(-1, -\sqrt{3})$과 $(2, \sqrt{2})$이다. 따라서 직선 OA의 방정식은 $y = \sqrt{3}x$이고, 직선 OA에서 점 B까지의 거리는

$$h = \frac{|2\sqrt{3}-\sqrt{2}|}{\sqrt{(\sqrt{3})^2+1^2}} = \frac{2\sqrt{3}-\sqrt{2}}{2} = \sqrt{3} - \frac{1}{\sqrt{2}}$$

이다.

9. 2022학년도 서울과기대 수시 논술 (3차)

[문제 1]

[1.1] 곡선 $\cos(x-y)+x^2+y^2=9$가 직선 $y=x$와 만나는 점을 모두 구하고, 각 점에서의 접선의 방정식을 구하시오.

[1.2] 함수 $y=\dfrac{1}{1024}4^{-x}+\dfrac{3}{2}$의 그래프는 함수 $f(x)=a^x(a>0,\ a\neq 1)$의 그래프를 x축의 방향으로 m만큼, y축의 방향으로 n만큼 평행 이동한 것이다. 1이 아닌 양수 b에 대하여 $3\log_b a=\dfrac{4}{4a-3}$가 성립한다. 함수 $g(x)=mn\log_b x$에 대하여 $(g\circ f)(5)$의 값을 구하시오.

[1.3] 자연수 n에 대하여 직선 $y=\dfrac{x}{(2n-1)\pi}$가 곡선 $y=\sin x$와 만나는 점의 개수를 a_n이라고 할 때, 급수 $\displaystyle\sum_{n=1}^{\infty}\dfrac{1}{a_n a_{n+1}}$의 합을 구하시오.

[문제 2]

[2.1] 아래쪽 입체도형의 부피를 구하시오.

[2.2] 위쪽 입체도형의 부피를 구하시오.

[2.3] 처음에 위쪽 입체도형에는 물이 가득 차 있었고 아래쪽 입체도형은 비어 있었다고 하자. 물이 떨어지기 시작한 후 4분이 되었을 때, 아래쪽 입체도형에 채워진 물의 높이를 구하시오.

[문제 3]

[3.1] 제시문 (가)를 만족하는 실수 t의 값의 범위를 구하시오.

[3.2] 제시문 (가)를 만족하는 실수 t에 대하여 $\alpha^2-\beta^2$을 t에 대한 식으로 나타내시오.

[3.3] 제시문 (나)의 θ_1과 θ_2에 대하여 $\tan\theta_1-\tan\theta_2$를 t에 대한 함수 $g(t)$로 나타내시오.

[3.4] 문항 [3.3]의 함수 $g(t)$의 최댓값을 구하시오.

[문제 1]

[1.1]

$y=x$를 $\cos(x-y)+x^2+y^2=9$에 대입하면

$$\cos(x-x)+x^2+x^2=9$$

이므로 $x=\pm2$이다. 따라서 곡선과 직선이 만나는 점은 $(2,\ 2)$와 $(-2,\ -2)$이다.

만나는 점에서의 접선의 기울기 $\dfrac{dy}{dx}$를 구하기 위해 곡선의 방정식 양변을 x에 대해 미분하면

$$-\left(1-\frac{dy}{dx}\right)\sin(x-y)+2x+2y\frac{dy}{dx}=0$$

이고, 이를 정리하면

$$\frac{dy}{dx}=\frac{\sin(x-y)-2x}{\sin(x-y)+2y}$$

이다. 만나는 점 $(2,\ 2)$와 $(-2,\ -2)$에서 접선의 기울기는 각각

$$\frac{\sin(2-2)-4}{\sin(2-2)+4}=-1,\quad \frac{\sin(-2+2)+4}{\sin(-2+2)-4}=-1$$

이다. 따라서 접선의 방정식은 각각

$$y=-x+4,\ \ y=-x-4$$

이다.

[1.2]

$$y=\frac{1}{1024}4^{-x}+\frac{3}{2}=\left(\frac{1}{4}\right)^{x+5}+\frac{3}{2}$$ 이므로, $a=\dfrac{1}{4}$, $m=-5$, $n=\dfrac{3}{2}$이다.

$a=\dfrac{1}{4}$ 을 $3\log_b a=\dfrac{4}{4a-3}$ 에 대입하면 $-3\log_b 4=-2$이므로 $b=8$이다.

따라서 $f(x)=\left(\dfrac{1}{4}\right)^x$, $g(x)=-\dfrac{15}{2}\log_8 x$이므로

$$(g\circ f)(5)=-\frac{15}{2}\log_8 4^{-5}=-\frac{15}{2}\times(-5)\times\frac{2}{3}=25$$

이다.

[1.3]

$n=1$일 때 $y=\dfrac{x}{\pi}$의 그래프와 $y=\sin x$는 원점을 포함하여 $x\geq0$에서 두 개의 교점을 갖는다. $y=\dfrac{x}{\pi}$, $y=\sin x$ 모두 원점대칭이므로 $-\pi<x\leq0$에서 원점을 포함하여 두 개의 교점을 갖게 되므로 $a_1=2+2-1=3$이다.

$n\geq2$인 자연수 n에 대하여 곡선 $y=\sin x$와 직선 $y=\dfrac{1}{(2n-1)\pi}x$는 $0\leq x<(2n-2)\pi$에서 주기 2π마다 2개씩의 교점이 있으므로 원점을 포함하여 $2n-2$개의 교점을 갖는다. 또 $(2n-2)\pi<x<(2n-1)\pi$에서 2개의 교점을 갖고 $x\geq(2n-1)\pi$에서는 교점이 없다.

따라서 $x \geq 0$에서 $2n$개의 교점을 갖는다. 곡선 $y = \sin x$와 직선 $y = \dfrac{1}{(2n-1)\pi}x$이 모두 원점대칭임을 생각하면 $x \leq 0$에서 원점을 포함하여 $2n$개의 교점이 있으므로 $a_n = 2n + 2n - 1 = 4n - 1$이다. 따라서 주어진 급수 $\displaystyle\sum_{n=1}^{\infty} \dfrac{1}{a_n a_{n+1}}$의 제 n항까지의 부분합을 S_n이라고 하면

$$S_n = \sum_{k=1}^{n} \frac{1}{a_n a_{n+1}} = \sum_{k=1}^{n} \frac{1}{(4k-1)(4k+3)} = \frac{1}{4}\sum_{k=1}^{n}\left(\frac{1}{4k-1} - \frac{1}{4k+3}\right)$$

$$= \frac{1}{4}\left\{\left(\frac{1}{3} - \frac{1}{7}\right) + \left(\frac{1}{7} - \frac{1}{11}\right) + \left(\frac{1}{11} - \frac{1}{15}\right) + \cdots + \left(\frac{1}{4n-1} - \frac{1}{4n+3}\right)\right\}$$

$$= \frac{1}{4}\left(\frac{1}{3} - \frac{1}{4n+3}\right) = \frac{1}{12} - \frac{1}{16n+12}$$

이므로

$$\lim_{n \to \infty} S_n = \lim_{n \to \infty}\left(\frac{1}{12} - \frac{1}{16n+12}\right) = \frac{1}{12}$$

즉 주어진 급수의 극한값은 $\dfrac{1}{12}$이다.

[문제 2]

[2.1]

 단면의 넓이가 $\pi^2 - 2\pi x$이므로

$$\int_0^{\frac{\pi}{2}} (\pi^2 - 2\pi x)dx = \left[\pi^2 x - \pi x^2\right]_0^{\frac{\pi}{2}} = \frac{\pi^3}{4}$$

이다. 따라서 아래쪽 입체도형의 부피는 $\dfrac{\pi^3}{4}$ cm³이다.

[2.2]

 단면의 넓이가 $\pi\left(x - \dfrac{\pi}{2}\right)(1 + \cos 2x)$이므로

$$V = \int_{\frac{\pi}{2}}^{\pi} \pi\left(x - \frac{\pi}{2}\right)(1 + \cos 2x)dx$$

이다. $x - \dfrac{\pi}{2}$를 t로 치환하면

$$V = \int_0^{\frac{\pi}{2}} \pi t\{1 + \cos(2t + \pi)\}dt = \pi\int_0^{\frac{\pi}{2}} (t - t\cos 2t)dt$$

이다. 부분적분하면

$$\int t\cos 2t\,dt = \frac{1}{2}t\sin 2t + \frac{1}{4}\cos 2t + C\,(C\text{는 적분상수})$$

이므로

$$V = \pi\left[\frac{1}{2}t^2 - \frac{1}{2}t\sin 2t - \frac{1}{4}\cos 2t\right]_0^{\frac{\pi}{2}} = \frac{\pi^3}{8} + \frac{\pi}{2}$$

이다. 따라서 위쪽 입체도형의 부피는 $\left(\dfrac{\pi^3}{8} + \dfrac{\pi}{2}\right)\text{cm}^3$이다.

[2.3]

4분 후 아래쪽 입체도형에 채워진 물의 부피는 $\dfrac{4\pi^3}{25}$이며, 물의 높이를 h라 하면

$$\int_0^h (\pi^2 - 2\pi x)dx = \pi^2 h - \pi h^2 = \frac{4\pi^3}{25}$$

이다. 이를 정리하여 인수분해하면

$$h^2 - \pi h + \frac{4\pi^2}{25} = \left(h - \frac{\pi}{5}\right)\left(h - \frac{4\pi}{5}\right) = 0$$

이다. $0 \le h \le \dfrac{\pi}{2}$이므로 물의 높이는 $\dfrac{\pi}{5}$ cm이다.

[문제 3]

[3.1]

함수 $f(x)$를 미분하면 $f'(x) = 3x^2 + 2tx + 9$이다. 함수 $f(x)$가 극댓값과 극솟값을 갖기 위해서는 $f'(x) = 0$이 서로 다른 두 실근을 가져야 한다. 따라서 판별식이 양수이므로 $t^2 - 27 > 0$이다. 제시문 (가)로부터 α와 β가 모두 음수이므로 $\alpha\beta = 3 > 0$이고 $\alpha + \beta = -\dfrac{2}{3}t < 0$이 성립해야 한다. 따라서 $t > 3\sqrt{3}$이다.

[3.2]

α와 β는 방정식 $f'(x) = 3x^2 + 2tx + 9 = 0$의 두 근이다. $f'(x) = 0$의 두 근은

$$x = \frac{-t \pm \sqrt{t^2 - 27}}{3}$$

이고 $\alpha < \beta$이므로

$$\alpha + \beta = -\frac{2t}{3}, \ \alpha\beta = 3, \ \alpha - \beta = -\frac{2}{3}\sqrt{t^2 - 27}$$

이다. 그러므로

$$\alpha^2 - \beta^2 = (\alpha - \beta)(\alpha + \beta) = \frac{4t}{9}\sqrt{t^2 - 27}$$

이다.

$\tan\theta_1 = \dfrac{f(\alpha)}{\alpha}$, $\tan\theta_2 = \dfrac{f(\beta)}{\beta}$ **이므로**

$$g(t) = \frac{f(\alpha)}{\alpha} - \frac{f(\beta)}{\beta} = \frac{\beta f(\alpha) - \alpha f(\beta)}{\alpha\beta} = \frac{\beta f(\alpha) - \alpha f(\beta)}{3}$$

이다. 이때

$$\beta f(\alpha) - \alpha f(\beta) = \beta(\alpha^3 + t\alpha^2 + 9\alpha + 15) - \alpha(\beta^3 + t\beta^2 + 9\beta + 15)$$

$$= (\alpha - \beta)\{\alpha\beta(\alpha + \beta) + 3t - 15\}$$

$$= -\frac{2}{3}(t - 15)\sqrt{t^2 - 27}$$

이다. 따라서

$$g(t) = \frac{f(\alpha)}{\alpha} - \frac{f(\beta)}{\beta} = -\frac{2}{9}(t - 15)\sqrt{t^2 - 27}$$

이다.

[3.4]

먼저 $g(t)$**를 미분하면**

$$g'(t) = -\frac{2(t - 9)(2t + 3)}{9\sqrt{t^2 - 27}}$$

이다. $t > 3\sqrt{3}$ **이므로** $\sqrt{t^2 - 27}$ **과** $2t + 3$ **은 양수이고, 함수** $g(t)$ **의 증가와 감소를 표로 나타내면 다음과 같다.**

t	$\cdots$	9	$\cdots$
$g'(t)$	$+$	0	$-$
$g(t)$	$\nearrow$	$4\sqrt{6}$ (극대)	$\searrow$

따라서 함수 $g(t)$ **는** $t = 9$ **에서 극댓값이자 최댓값인** $4\sqrt{6}$ **을 갖는다.**

10. 2022학년도 서울과기대 수시 논술 (4차)

[문제 1]

[1.1] 두 함수 $f(x) = |x^3 - 2x|$, $g(x) = x^2$에 대하여 그래프 $y = f(x)$와 $y = g(x)$의 제 1사분면에 있는 교점을 모두 구하고, 각 교점을 접점으로 하는 $y = f(x)$의 접선의 방정식을 구하시오.

[1.2] 첫째항이 0이 아닌 수열 $\{a_n\}$이 모든 자연수 n에 대하여

$$\sum_{k=1}^{n} \frac{(k+2)a_{k+1}}{(k+1)a_k} = n^2 + 5n$$

일 때, $\dfrac{a_{10}}{a_8}$의 값을 구하시오.

[1.3] 클레이 사격선수 A와 B가 표적을 명중시킬 확률은 각각 $\dfrac{1}{2}$과 p이다. A가 4회의 사격 중 1회 이상 명중시킬 확률과 B가 2회의 사격 중 1회 이상 명중시킬 확률이 같기 위한 p를 구하시오.

[문제 2]

[2.1] 제시문 (가)의 $f(x)$에 대하여 $e^x - f(x)$의 최솟값을 구하시오.

[2.2] $0 \le x \le 1$에서 $2x^2 + x + 1 - e^x$의 최솟값을 구하시오.

[2.3] 문항 [2.2]를 이용하여 모든 자연수 n에 대하여 다음 부등식이 성립함을 보이시오.
$$\sqrt[n]{e} \le 1 + \dfrac{1}{n} + \dfrac{2}{n^2}$$

[2.4] 문항 [2.1], [2.3]과 제시문 (나)를 이용하여 다음 극한값을 구하시오.
$$\lim_{n \to \infty} n(\sqrt[n]{e} - 1)$$

[문제 3]

[3.1] L_k를 θ_k에 대한 식으로 나타내시오.

[3.2] $n = 3$일 때, $\displaystyle\sum_{k=1}^{3}\left(M_k^2 - L_k^2\right)$의 값을 구하시오.

[3.3] 자연수 n에 대하여 $T_n = \displaystyle\sum_{k=1}^{n} S_k$일 때, $\displaystyle\lim_{n \to \infty} \dfrac{T_n}{n}$의 값을 구하시오.

[문제 1]

[1.1]

$x > 0$에서 방정식 $|x^3 - 2x| = x^2$의 해는 $x = 1,\ 2$이므로 교점은 $(1,\ 1),\ (2,\ 4)$이다.
$$f(x) = \begin{cases} -x^3 + 2x & (0 < x \le \sqrt{2}) \\ x^3 - 2x & (x > \sqrt{2}) \end{cases}$$
이다. 미분하면
$$f'(x) = \begin{cases} -3x^2 + 2 & (0 < x < \sqrt{2}) \\ 3x^2 - 2 & (x > \sqrt{2}) \end{cases}$$
이므로, $(1,\ 1)$에서 접선의 기울기는 $f'(1) = -1$이고 $(2,\ 4)$에서 접선의 기울기는 $f'(2) = 10$이다. 따라서 접선의 방정식은 $y = -x + 2$와 $y = 10x - 16$이다.

주어진 식에서

$$\frac{11a_{10}}{10a_9} = \sum_{k=1}^{9} \frac{(k+2)a_{k+1}}{(k+1)a_k} - \sum_{k=1}^{8} \frac{(k+2)a_{k+1}}{(k+1)a_k} = (9^2 + 5 \times 9) - (8^2 + 5 \times 8) = 22$$

이고

$$\frac{10a_9}{9a_8} = \sum_{k=1}^{8} \frac{(k+2)a_{k+1}}{(k+1)a_k} - \sum_{k=1}^{7} \frac{(k+2)a_{k+1}}{(k+1)a_k} = (8^2 + 5 \times 8) - (7^2 + 5 \times 7) = 20$$

이므로

$$a_{10} = 20a_9, \quad a_9 = 18a_8$$

이다. 따라서 $\dfrac{a_{10}}{a_8} = 360$이다.

[1.3]

A가 4회의 사격 중 1회 이상 명중시킬 확률은

$${}_4C_1 \left(\frac{1}{2}\right)^4 + {}_4C_2 \left(\frac{1}{2}\right)^4 + {}_4C_3 \left(\frac{1}{2}\right)^4 + {}_4C_4 \left(\frac{1}{2}\right)^4 = \frac{15}{16} \text{ 또는 } 1 - {}_4C_0 \left(\frac{1}{2}\right)^4 = \frac{15}{16}$$

이고 B가 2회의 사격 중 1회 이상 명중시킬 확률은

$${}_2C_1 p(1-p) + {}_2C_2 p^2 = p(2-p) \text{ 또는 } 1 - {}_2C_0 (1-p)^2 = p(2-p)$$

이다. $p(2-p) = \dfrac{15}{16}$를 풀면 $p = \dfrac{3}{4}, \dfrac{5}{4}$이고 $p \leq 1$이므로 $p = \dfrac{3}{4}$이다.

[문제 2]

[2.1]

$y = e^x$를 미분하면 $y' = e^x$이므로 점 $(0, 1)$에서 접선의 기울기는 1이다. 따라서 $f(x) = x + 1$이다. $g(x) = e^x - x - 1$이라고 하자. $g(x)$를 미분하면

$$g'(x) = e^x - 1$$

이므로 $g(x)$의 증가와 감소를 표로 나타내면 다음과 같다.

x	$\cdots$	0	$\cdots$
$g'(x)$	$-$	0	$+$
$g(x)$	$\searrow$	0	$\nearrow$

따라서 $g(0) = 0$은 극솟값이자 최솟값이다.

[2.2]

$h(x) = 2x^2 + x + 1 - e^x$이라고 하면

$$h'(x) = 4x + 1 - e^x, \quad h''(x) = 4 - e^x$$

이다. 열린구간 $(0, 1)$에서 $h''(x) > 0$이므로 $h'(x)$는 구간 $(0, 1)$에서 증가한다. 한편 $h'(0) = 0$이므로 $0 < x < 1$에서 $h'(x) > 0$이다. 따라서 $h(x)$는 열린구간 $(0, 1)$에서 극값

을 가지지 않는다. 여기서 $h(0) = 0$, $h(1) > 0$이므로 함수 $h(x)$의 최솟값은 0이다.

[2.3]

문항 [2.2]에 의해서 $0 \le x \le 1$에서 $2x^2 + x + 1 - e^x \ge 0$이므로 부등식

$$e^x \le 1 + x + 2x^2$$

이 성립한다. 모든 자연수 n에 대하여 $0 < \dfrac{1}{n} \le 1$이므로 $x = \dfrac{1}{n}$을 위 부등식에 대입하면

$$\sqrt[n]{e} \le 1 + \frac{1}{n} + \frac{2}{n^2}$$

가 성립한다.

[2.4]

문항 [2.1]에 의해서 $e^x \ge 1 + x$가 성립한다. 여기서 $x = \dfrac{1}{n}$을 대입하면, 모든 자연수 n에 대하여

$$\frac{1}{n} \le \sqrt[n]{e} - 1$$

이 성립함을 알 수 있다. 또 문항 [2.3]에 의하여

$$\sqrt[n]{e} - 1 \le \frac{1}{n} + \frac{2}{n^2}$$

가 모든 자연수 n에 대하여 성립한다. $c_n = n(\sqrt[n]{e} - 1)$이라고 하면 모든 자연수 n에 대하여

$$1 \le c_n \le 1 + \frac{2}{n}$$

가 성립한다. $a_n = 1$, $b_n = 1 + \dfrac{2}{n}$라고 하면

$$\lim_{n \to \infty} a_n = \lim_{n \to \infty} b_n = 1$$

이므로 제시문 (나)에 의하여

$$\lim_{n \to \infty} n(\sqrt[n]{e} - 1) = 1$$

이다.

[문제 3]
[3.1]

점 P_k의 좌표는 $(\cos\theta_k, \ \sin\theta_k)$이고 C$(-1, \ 0)$이므로 점 C와 점 P_k를 지나는 직선의 방정식은 $y = \dfrac{\sin\theta_k}{\cos\theta_k + 1}(x + 1)$이다. 점 O와 점 B를 지나는 직선의 방정식은 $y = -x$이고,

이 두 직선의 교점 R_k의 좌표는 $\left(-\dfrac{\sin\theta_k}{\sin\theta_k+\cos\theta_k+1},\ \dfrac{\sin\theta_k}{\sin\theta_k+\cos\theta_k+1}\right)$이다. 따라서

$$L_k=\frac{\sqrt{2}\,\sin\theta_k}{\sin\theta_k+\cos\theta_k+1}$$

이다.

[3.2]

삼각형 R_kCO에서 코사인법칙을 이용하면

$$M_k^2=L_k^2+1-2L_k\cos\left(\frac{\pi}{4}\right)=L_k^2+1-\sqrt{2}\,L_k$$

이다. $\theta_k=\dfrac{3\pi}{4n}k$이므로 $n=3$일 때 $\theta_k=\dfrac{\pi}{4}k$이다. 따라서 구하고자 하는 값은

$$\sum_{k=1}^{3}\left(M_k^2-L_k^2\right)=\sum_{k=1}^{3}\left(1-\sqrt{2}\,L_k\right)=3-2\sum_{k=1}^{3}\frac{\sin\left(\frac{\pi}{4}k\right)}{\sin\left(\frac{\pi}{4}k\right)+\cos\left(\frac{\pi}{4}k\right)+1}$$

$$=3-2\left(1-\frac{\sqrt{2}}{2}+\frac{1}{2}+\frac{\sqrt{2}}{2}\right)=0$$

이다.

[3.3]

$\theta_k=\dfrac{3\pi}{4n}k$이므로

$$S_k=\frac{1}{2}\times 4\times\sin\frac{3k\pi}{4n}=2\sin\frac{3k\pi}{4n},\quad T_n=\sum_{k=1}^{n}S_k=\sum_{k=1}^{n}2\sin\frac{3k\pi}{4n}$$

이다. 따라서 정적분을 이용하여 극한값을 구하면

$$\lim_{n\to\infty}\frac{T_n}{n}=\lim_{n\to\infty}\sum_{k=1}^{n}2\sin\frac{3k\pi}{4n}\frac{1}{n}=\int_{0}^{1}2\sin\left(\frac{3\pi x}{4}\right)dx=-\frac{8}{3\pi}\left[\cos\left(\frac{3\pi x}{4}\right)\right]_{0}^{1}=\frac{8+4\sqrt{2}}{3\pi}$$

이다.

11. 2022학년도 서울과기대 모의 논술

[문제 1]

[1.1] 어떤 음료수를 온도가 $24\,^{\circ}\mathrm{C}$로 일정하게 유지되는 장소에 놓은 지 t분 후 음료수의 온도 $T(t)$는

$$T(t)=24+ae^{bt}(^{\circ}\mathrm{C})$$

이다. (단, a와 b는 상수이다.) $t=0$일 때 $88\,^{\circ}\mathrm{C}$인 음료수가 $t=5$일 때 $72\,^{\circ}\mathrm{C}$가 되었다고 하자. $t=15$일 때 음료수의 온도를 구하시오.

[1.2] 곡선 $x^3+xy+y^3-8=0$과 x축과의 교점을 P라 하자. 점 P에서 이 곡선의 접선을 l_1, 직선 l_1과 수직이고 점 P를 지나는 직선을 l_2라 할 때, 두 직선 l_1, l_2와 y축으로 둘러싸인 도형의 넓이를 구하시오.

[1.3] 다음 정적분을 구하시오.

$$\int_{-1}^{1}(1+4x+9x^2+16x^3+\cdots+2022^2 x^{2021})dx$$

[문제 2]

[2.1] 두 곡선 $y=f(x)$와 $y=g(x)$의 교점의 좌표를 모두 구하시오.

[2.2] 두 곡선 $y=f(x)$와 $y=g(x)$의 모든 교점에서 두 곡선이 서로 수직이 되는 상수 a의 값을 구하시오.

[2.3] 문항 [2.2]에서 구한 a에 대하여, $f(x)\geq g(x)$인 x값의 범위를 구하시오.

[2.4] 문항 [2.2]에서 구한 a에 대하여, 두 곡선 $y=f(x)$, $y=g(x)$와 두 직선 $x=-2$, $x=2$로 눌러싸인 도형의 넓이를 구하시오.

[문제 3]

[3.1] $\theta=\angle A_0 D_1 A_1$, $t=\tan\theta$에 대하여 α를 t에 관한 식으로 나타내시오.

[3.2] 변 $A_{n-1}A_n$의 길이를 l_n이라 할 때, $\sum_{n=1}^{\infty}l_n$은 t에 관한 식으로 나타내시오.

[3.3] 삼각형 $A_{n-1}A_n D_n$의 넓이를 S_n이라 할 때, $\sum_{n=1}^{\infty}S_{2n-1}=\dfrac{2}{13}$가 되는 a를 구하시오.

[문제 1]

[1.1]

$T(0)=88$**이므로**

$$88=24+a,\quad a=64$$

이고, $T(5)=72$**이므로**

$$24+64e^{5b}=72,\quad e^b=\left(\frac{3}{4}\right)^{1/5}$$

이다. 따라서

$$T(t)=24+64\left(\frac{3}{4}\right)^{t/5}$$

이다. $t=15$**일 때**

$$T(15) = 24 + 64\left(\frac{3}{4}\right)^3 = 51$$

이므로 음료수의 온도는 $51\,^\circ$C이다.

[1.2]

점 P의 좌표를 $(a,\ 0)$이라 하면 $a^3 - 8 = 0$이므로 $a = 2$이다. 주어진 곡선의 방정식을 음함수 미분하면

$$3x^2 + y + xy' + 3y^2 y' = 0$$

이므로 $(x,\ y) = (2,\ 0)$을 대입하여 점 $(2,\ 0)$에서의 접선의 기울기 $y' = -6$을 얻는다. 따라서 l_1의 방정식은 $y = -6x + 12$이다. 직선 l_1과 l_2는 수직이므로 l_2의 기울기는 $\frac{1}{6}$이 되고 다시 l_2는 점 P를 지나므로 l_2의 방정식은 $y = \frac{1}{6}x - \frac{1}{3}$이다. l_1과 l_2의 교점 좌표는 P$(2,\ 0)$이고 l_1의 y절편은 12, l_2의 y절편은 $-\frac{1}{3}$이므로 직선 l_1와 l_2, y축으로 둘러싸인 도형의 넓이는 $\frac{1}{2} \times \left(12 + \frac{1}{3}\right) \times 2 = \frac{37}{3}$이다.

[1.3]

자연수 k에 대하여,

$$\int_{-1}^{1} k^2 x^{k-1} dx = \left[kx^k\right]_{-1}^{1} = \begin{cases} 2k, & k는 홀수 \\ 0, & k는 짝수 \end{cases}$$

이다. 이로부터 구하는 정적분의 값은

$$\int_{-1}^{1} \left(1 + 4x + 9x^2 + \cdots + 2022^2 x^{2021}\right) dx = 2(1 + 3 + \cdots + 2021)$$

$$= 2\sum_{k=1}^{1011} (2k-1)$$

$$= 2 \times \left\{2 \times \frac{1011 \times (1011 + 1)}{2} - 1011\right\}$$

$$= 2 \times 1011^2 = 2044242$$

이다.

[문제 2]

[2.1]

교점은

$$\frac{1}{\sqrt{3}}x^3 - ax^2 + 1 = \frac{1}{\sqrt{3}}x^3 + ax^2 - 1$$

일 때 이므로 $x = \pm\dfrac{1}{\sqrt{a}}$ 이고, 이때 $y = \pm\dfrac{1}{a\sqrt{3a}}$ 이다. 따라서 교점의 좌표는

$$\left(\frac{1}{\sqrt{a}},\ \frac{1}{a\sqrt{3a}}\right),\quad \left(-\frac{1}{\sqrt{a}},\ -\frac{1}{a\sqrt{3a}}\right)$$

이다.

[2.2]

$f(x)$와 $g(x)$를 미분하면

$$f'(x) = \sqrt{3}\,x^2 - 2ax,\quad g'(x) = \sqrt{3}\,x^2 + 2ax$$

이다. 모든 교점에서 두 곡선의 접선이 수직이 되려면

$$\left(\frac{\sqrt{3}}{a} - 2\sqrt{a}\right) \times \left(\frac{\sqrt{3}}{a} + 2\sqrt{a}\right) = -1,\quad \left(\frac{\sqrt{3}}{a} + 2\sqrt{a}\right) \times \left(\frac{\sqrt{3}}{a} - 2\sqrt{a}\right) = -1$$

이어야 한다. 정리하면 $\dfrac{3}{a^2} - 4a = -1$이므로

$$4a^3 - a^2 - 3 = (a-1)(4a^2 + 3a + 3) = 0$$

이어야 한다. 그런데 $4a^2 + 3a + 3 \neq 0$이므로 $a = 1$이다.

[2.3]

[2.2]에서 $a = 1$이다. $\dfrac{1}{\sqrt{3}}x^3 - x^2 + 1 \geq \dfrac{1}{\sqrt{3}}x^3 + x^2 - 1$이려면 $x^2 \leq 1$이다. 따라서 $f(x) \geq g(x)$이기 위한 x값의 범위는 $-1 \leq x \leq 1$이다.

[2.4]

$-1 \leq x \leq 1$이면 $f(x) \geq g(x)$이고, $x < -1$ 또는 $x > 1$이면 $f(x) < g(x)$이므로 구하는 도형의 넓이 A는

$$A = \int_{-2}^{2} |f(x) - g(x)|\,dx = \int_{-2}^{2} \left|-2x^2 + 2\right|\,dx$$
$$= \int_{-2}^{-1}(2x^2 - 2)\,dx + \int_{-1}^{1}(-2x^2 + 2)\,dx + \int_{1}^{2}(2x^2 - 2)\,dx = 8$$

이다.

[문제 3]
[3.1]

$t = \tan\theta = \dfrac{\alpha}{1-\alpha}$이므로 $\alpha = \dfrac{t}{1+t}$ 이다.

[3.2]

자연수 n에 대하여 삼각형 $A_{n-1}A_nD_n$에서 $\overline{A_{n-1}\,A_n}:\overline{A_nD_n}=\alpha:\sqrt{2\alpha^2-2\alpha+1}$ 이므로

$$\alpha\overline{A_nD_n}=\sqrt{2\alpha^2-2\alpha+1}\,\overline{A_{n-1}\,A_n}=\sqrt{2\alpha^2-2\alpha+1}\times l_n$$

이다. 또 $l_{n+1}=\overline{A_nA_{n+1}}=\alpha\overline{A_nD_n}$ 이므로 $l_{n+1}=\sqrt{2\alpha^2-2\alpha+1}\times l_n$ 이 된다. $l_1=\alpha$ 이므로

수열 $\{l_n\}$는 첫째항이 α, 공비가 $\sqrt{2\alpha^2-2\alpha+1}$ 인 등비수열이 된다. 이를 [3.1]에서의 관계식을 이용하여 t 로 표현하면

$$\alpha=\frac{t}{1+t},\quad \sqrt{2\alpha^2-2\alpha+1}=\frac{\sqrt{1+t^2}}{1+t}$$

이고 따라서 구하고자 하는 등비급수의 합은

$$\sum_{n=1}^{\infty}l_n=\frac{t}{1+t-\sqrt{1+t^2}}=\frac{1}{2}\left(1+t+\sqrt{1+t^2}\right)$$

이다.

[3.3]

[3.2]에서 삼각형 $A_{n-1}A_nD_n$와 삼각형 $A_nA_{n+1}D_{n+1}$의 닮음비는 $1:\sqrt{2\alpha^2-2\alpha+1}$ 이므로

넓이의 비는 $1:(2\alpha^2-2\alpha+1)$ 이다. 따라서 수열 $\{S_{2n-1}\}$은 첫째항 S_1이 $\dfrac{\alpha(1-\alpha)}{2}$, 공비

가 $(2\alpha^2-2\alpha+1)^2$ 인 등비수열이다. 등비급수가 $\displaystyle\sum_{n=1}^{\infty}S_{2n-1}=\frac{2}{13}$ 을 만족해야 하므로

$$\sum_{n=1}^{\infty}S_{2n-1}=\frac{\dfrac{\alpha(1-\alpha)}{2}}{1-(2\alpha^2-2\alpha+1)^2}=\frac{1}{8(\alpha^2-\alpha+1)}=\frac{2}{13}$$

을 풀면 $\alpha=\dfrac{1}{4},\ \dfrac{3}{4}$ 이다. α의 범위가 $0<\alpha<\dfrac{1}{2}$ 이므로 $\alpha=\dfrac{1}{4}$ 이다.

12. 2021학년도 서울과기대 수시 논술 (1차)

[문제 1]

[1.1] 반지름의 길이가 3인 구에 내접하는 원뿔의 옆넓이를 S라 할 때, S^2의 최댓값을 구하시오.

[1.2] 원 $x^2-x+y^2=0$이 두 원 $x^2+y^2=\cos^2\alpha$, $x^2+y^2=\sin^2\alpha$와 제 1사분면에서 만나는 두 점을 각각 P, Q라 하자. $0<\alpha<\dfrac{\pi}{2}$일 때 삼각형 OPQ의 넓이가 최대가 되는 α를 모두 구하시오. (단, O는 원점)

[1.3] A와 B가 경주를 한다. 계속 앞서고 있던 A가 결승선을 90 m앞두고 넘어졌다. A

가 넘어져 있는 동안 B는 2(m/s)의 일정한 속도로 달리며 A를 추월했다. B가 A를 추월한 시점에서 10초 후, A가 다시 달리기 시작했다. A가 다시 달리기 시작한 시점부터 t초 후, A의 속도는 at(m/s)이고 B의 속도는 $(t+2)$(m/s)이다. A가 이기기 위한 실수 a의 조건을 구하시오.

[문제 2]

[2.1] 제시문 (가)를 만족하는 네 자리 번호는 모두 몇 가지인지 구하시오.

[2.2] 제시문 (가)를 만족하는 네 자리 번호를 임의로 입력하되 이미 입력했던 번호는 다시 입력하지 않는다. 틀린 번호를 입력한 경우 다른 네 자리 번호를 바로 입력하고, 비밀번호를 맞힌 경우에는 더 이상 입력하지 않는다. 비밀번호를 맞힐 때까지 네 자리 번호를 입력한 횟수를 확률변수 X라 하자. X의 기댓값을 구하시오.

[2.3] 문항 [2.2]와 같은 방식으로 네 자리 번호를 입력할 때, 비밀번호를 맞힐 때까지 걸리는 시간을 확률변수 Y라 하자. Y의 기댓값을 제시문 (나)에 따라 구하시오. (단, 번호를 처음 입력하기 전 틀린 번호 입력 횟수는 0이다.)

[문제 3]

[3.1] 직선 l_1과 직선 l_2가 이루는 각의 크기를 θ라 할 때, $\tan^2\theta$를 t에 대한 식으로 나타내시오.

[3.2] 양의 정수 k에 대하여 다음 극한이 수렴하는 경우 극한값을 모두 구하시오.
$$\lim_{t \to \infty} \frac{A_1(t)}{t^k}$$

[3.3] 다음 극한값을 구하시오.
$$\lim_{t \to \infty} \frac{S(t)}{A_2(t)}$$

[문제 1]

[1.1]

  원뿔의 높이를 $x(0 < x < 6)$라 하자. [그림 1]과 같이 $0 < x \le 3$ 이거나 [그림 2]와 같이 $3 \le x < 6$일 때 모두 반지름은 $\sqrt{6x-x^2}$이고, 모선의 길이는 $\sqrt{6x}$이다.

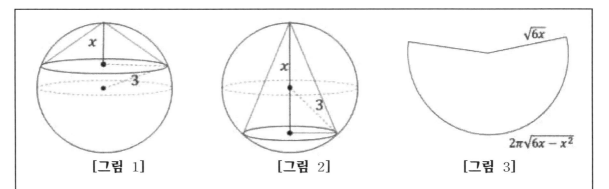

| [그림 1] | [그림 2] | [그림 3] |

원뿔을 펼친 모양은 [그림 3]과 같으므로 겉넓이는 $S = \sqrt{6x(6x - x^2)}\,\pi$이다. 겉넓이의 제곱 S^2을 $f(x)$라 하면

$$f(x) = 6\pi^2(6x^2 - x^3)$$

이다. $f(x)$를 미분하면

$$f'(x) = 6\pi^2(12x - 3x^2) = 18\pi^2 x(4 - x)$$

이므로 $x = 4$일 때 $f(x)$는 최대가 되고 최댓값은 $f(4) = 192\pi^2$이다.

[1.2]

 점 P의 좌표를 구하기 위해 $x^2 - x + y^2 = 0$과 $x^2 + y^2 = \cos^2\alpha$를 풀면 $x = \cos^2\alpha$, $y^2 = \cos^2\alpha \sin^2\alpha$이다. 즉 점 P의 좌표는 $(\cos^2\alpha,\ |\sin\alpha\cos\alpha|)$이다.

비슷하게 점 Q의 좌표를 구하기 위해 $x^2 - x + y^2 = 0$과 $x^2 + y^2 = \sin^2\alpha$를 풀면 점 Q의 좌표는 $(\sin^2\alpha,\ |\sin\alpha\cos\alpha|)$이다. 삼각형 OPQ의 밑변을 선분 PQ로 두면 선분 PQ와 x축이 평행하므로 점 P와 점 Q의 y좌표가 삼각형 OPQ의 높이가 된다. 따라서 삼각형 OPQ의 넓이는 다음과 같다.

$$\triangle \text{OPQ} = \frac{1}{2}\left|(\sin^2\alpha - \cos^2\alpha) \times \cos\alpha\sin\alpha\right|$$

삼각함수의 덧셈정리

$$\sin(x + y) = \sin x\cos y + \cos x\sin y,\quad \cos(x + y) = \cos x\cos y - \sin x\sin y$$

에서 $x = y = \alpha$로 두면,

$$\sin 2\alpha = 2\sin\alpha\cos\alpha,\quad \cos 2\alpha = \cos^2\alpha - \sin^2\alpha$$

를 얻는다. 이를 이용하면,

$$\triangle \text{OPQ} = \frac{1}{2}\left|\cos 2\alpha \times \frac{1}{2}\sin 2\alpha\right| = \frac{1}{8}|\sin 4\alpha|$$

이다. $0 < \alpha < \dfrac{\pi}{2}$에서 $|\sin 4\alpha|$의 최댓값은 1이고 $4\alpha = \dfrac{\pi}{2}$ 또는 $4\alpha = \dfrac{3\pi}{2}$일 때 최댓값을 얻을 수 있다. 따라서 삼각형의 넓이가 최대가 될 때의 α는 $\dfrac{\pi}{8}$, $\dfrac{3\pi}{8}$이다.

 결승선까지 90 m남은 지점을 P라 하면 A가 일어나 다시 달리기 시작한 t초 후 A의 속도가 at이므로 P로부터 A가 간 거리는 $\dfrac{a}{2}t^2$이다. B는 $2(\text{m/s})$의 속도로 10초 이동한 후 $(t+2)(\text{m/s})$의 속도로 t초 이동하였으므로 P부터 B가 간 거리는

$$20+\int_0^t (x+2)dx=\frac{1}{2}t^2+2t+20$$

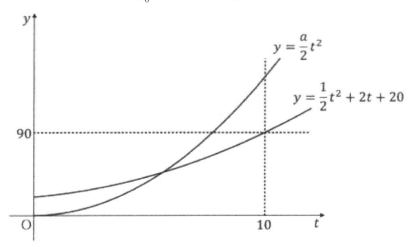

이다. B가 결승선에 도착하는 시각은 $\dfrac{t^2}{2}+2t+20=90$일 때의 시각이므로 $t=10$이다.

$t=10$일 때 $\dfrac{1}{2}at^2>90$이 되기 위해서는 $a>\dfrac{9}{5}$이 되어야 한다.

[문제 2]
[2.1]

 비밀번호의 백의 자리의 수, 십의 자리의 수, 일의 자리의 수를 각각 x, y, z라고 하면
$$x+y+z=9(0\le x\le 9,\ 0\le y\le 9,\ 0\le z\le 9)$$
를 만족해야 한다. 이를 만족하는 정수 x, y, z 순서쌍의 개수는 x, y, z를 중복을 허용하여 9개 선택하는 방법의 수와 같다. 따라서 가능한 비밀번호는
$$_3H_9={}_{11}C_9=55$$
가지이다.

[2.2]

 확률변수 X는 비밀번호를 맞힐 때까지 네 자리 번호를 입력한 횟수이다. A_i를 i번째에 비밀번호를 맞히는 사건, $i\ge 2$일 때 B_i를 $i-1$번째까지 비밀번호를 맞히지 못할 사건이라고 하자. 그러면 $P(A_1)=\dfrac{1}{55}$이고 $2\le i\le 55$일 때, $i-1$번째까지 비밀번호를 맞히지 못

하고 i번째에 비밀번호를 맞히는 사건의 확률은

$$P(A_i \cap B_i) = P(B_i) \times P(A_i \,|\, B_i)$$

$$= \left\{ \left(1 - \frac{1}{55}\right)\left(1 - \frac{1}{54}\right) \cdots \left(1 - \frac{1}{55-(i-2)}\right) \right\} \times \left(\frac{1}{55-(i-1)}\right) = \frac{1}{55}$$

이다. 따라서 $1 \le i \le 55$일 때 $P(X=i) = \dfrac{1}{55}$이다. 그러므로 기댓값 $E(X)$는

$$\sum_{i=1}^{55} (i \times P(X=i)) = \sum_{i=1}^{55} \frac{i}{55} = \frac{1}{55} \times \frac{55(55+1)}{2} = 28$$

이다.

[2.3]

확률변수 Y는 비밀번호를 맞힐 때까지 걸리는 시간이다. 네 자리 번호를 한 번 입력하는 데 5초가 걸리고, 5번 틀린 후에는 20초 동안 입력할 수 없다. 따라서 $i-1$번째까지 비밀번호를 맞히지 못하고 i번째 비밀번호를 입력할 경우, i번째 비밀번호를 입력할 때까지 걸리는 시간은

$$5i, \qquad 1 \le i \le 5$$

$$5i + 20, \quad 6 \le i \le 10$$

$$\vdots$$

$$5i + 200, \ 51 \le i \le 55$$

이고

$$P(Y = 5i) = P(X=i) = \frac{1}{55}, \ 1 \le i \le 5$$

$$P(Y = 5i + 20) = P(X=i) = \frac{1}{55}, \quad 6 \le i \le 10$$

$$\vdots$$

$$P(Y = 5i + 200) = P(X=i) = \frac{1}{55}, \ 51 \le i \le 55$$

이다. 따라서 $E(Y)$는

$$\sum_{i=1}^{55} \left(\frac{1}{55} \times 5i\right) + \frac{1}{55}(0 \times 5 + 20 \times 5 + \cdots + 200 \times 5) = 240$$

이다.

[문제 3]

[3.1]

직선 l_1이 x축의 양의 방향과 이루는 각의 크기를 θ_1, 직선 l_2가 x의 양의 축이 이루는 각의 크기를 θ_2라 하면 $\theta = \theta_1 - \theta_2$이다. P_1, P_2의 좌표를 구하기 위해 방정식 $t - x^2 = tx$

을 풀어 두 근을 α, β라 하면

$$\alpha = -\frac{t}{2} + \frac{\sqrt{t^2 + 4t}}{2}, \ \beta = -\frac{t}{2} - \frac{\sqrt{t^2 + 4t}}{2}$$

이다. $\mathrm{P}_1(\alpha, \ t\alpha)$과 $\mathrm{P}_2(\beta, \ t\beta)$에서의 $y = t - x^2$의 접선의 기울기는 각각 -2α, -2β이다. 따라서 $\tan\theta_1 = -2\alpha$, $\tan\theta_2 = -2\beta$이다.

$$\tan^2\theta = \tan^2(\theta_1 - \theta_2) = \left(\frac{\tan\theta_1 - \tan\theta_2}{1 + \tan\theta_1\tan\theta_2}\right)^2 = \left(\frac{-2\alpha + 2\beta}{1 + 4\alpha\beta}\right)^2$$

$$= \frac{4(\alpha - \beta)^2}{(1 + 4\alpha\beta)^2} = \frac{4\{(\alpha + \beta)^2 - 4\alpha\beta\}}{(1 + 4\alpha\beta)^2}$$

이므로 근과 계수의 관계에서 $\alpha + \beta = -t$, $\alpha\beta = -t$이므로 위 식은 다음과 같이 정리된다.

$$\tan^2\theta = \frac{4(t^2 + 4t)}{(1 - 4t)^2} = \frac{4t^2 + 16t}{16t^2 - 8t + 1}$$

[3.2]

직선 l_1의 방정식은 $y = \left(t - \sqrt{t^2 + 4t}\right)x - \dfrac{\left(t - \sqrt{t^2 + 4t}\right)\sqrt{t^2 + 4t}}{2}$ 이므로

x절편은 $\dfrac{\sqrt{t^2 + 4t}}{2}$, y절편은 $\dfrac{\left(\sqrt{t^2 + 4t} - t\right)\sqrt{t^2 + 4t}}{2}$ 이다.

따라서

$$A_1(t) = \frac{1}{2} \times \frac{\sqrt{t^2 + 4t}}{2} \times \frac{\left(\sqrt{t^2 + 4t} - t\right)\sqrt{t^2 + 4t}}{2} = \frac{(t^2 + 4t)\left(\sqrt{t^2 + 4t} - t\right)}{8}$$

이다.

$$\lim_{t \to \infty}\frac{A_1(t)}{t^k} = \lim_{t \to \infty}\left\{\frac{(t^2 + 4t)\left(\sqrt{t^2 + 4t} - t\right)}{8t^k} \times \frac{\sqrt{t^2 + 4t} + t}{\sqrt{t^2 + 4t} + t}\right\} = \lim_{t \to \infty}\frac{(t^2 + 4t)}{8t^k}\frac{4t}{\sqrt{t^2 + 4t} + t}$$

$$\lim_{t \to \infty}\frac{4t}{\sqrt{t^2 + 4t} + t} = \lim_{t \to \infty}\frac{4}{\sqrt{1 + \dfrac{4}{t}} + 1} = 2$$

이고

$$\lim_{t \to \infty}\frac{(t^2 + 4t)}{8t^k} = \begin{cases} \infty & (k = 1) \\ \dfrac{1}{8} & (k = 2) \\ 0 & (k \geq 3) \end{cases}$$

이므로

$$\lim_{t \to \infty}\frac{A_1(t)}{t^k} \equiv \begin{cases} \infty & (k = 1) \\ \dfrac{1}{4} & (k = 2) \\ 0 & (k \geq 3) \end{cases}$$

이다. 위 극한은 $k < 2$이면 발산하고 $k > 2$이면 극한값이 0이다. $k = 2$일 때 극한값은 $\dfrac{1}{4}$ 이다. 따라서 극한값은 0, $\dfrac{1}{4}$이다.

[3.3]

직선 l_2의 방정식은 $y = \left(t + \sqrt{t^2 + 4t}\right)x + \dfrac{\left(t + \sqrt{t^2 + 4t}\right)\sqrt{t^2 + 4t}}{2}$ 이므로

x절편은 $-\dfrac{\sqrt{t^2 + 4t}}{2}$, y절편은 $\dfrac{\left(t + \sqrt{t^2 + 4t}\right)\sqrt{t^2 + 4t}}{2}$ 이다. 즉, 삼각형의 넓이 $A_2(t)$는 다음과 같다.

$$A_2(t) = \frac{\left(t^2 + 4t\right)\left(t + \sqrt{t^2 + 4t}\right)}{8}$$

곡선과 직선 사이의 넓이 $S(t)$는 적분을 이용하여 구할 수 있다.

$$S(t) = \int_\beta^\alpha (t - x^2 - tx)dx = \left[tx - \frac{1}{3}x^3 - \frac{1}{2}tx^2\right]_\beta^\alpha = \frac{\left(t^2 + 4t\right)\sqrt{t^2 + 4t}}{6}$$

이다. 따라서

$$\lim_{t \to \infty} \frac{S(t)}{A_2(t)} = \lim_{t \to \infty} \frac{\left(t^2 + 4t\right)\sqrt{t^2 + 4t}}{6} \frac{8}{\left(t^2 + 4t\right)\left(t + \sqrt{t^2 + 4t}\right)} = \frac{2}{3}$$

이다.

13. 2021학년도 서울과기대 수시 논술 (2차)

[문제 1]

[1.1] 일반항이 $a_n = \left(-\dfrac{2}{3}\right)^n \sin^2 \dfrac{n\pi}{4}$ 인 수열 $\{a_n\}$에 대하여 $A = \left(\dfrac{2}{3}\right)^{100}$ 일 때, $\displaystyle\sum_{n=1}^{100} a_n$의 값을 A에 대한 식으로 나타내시오.

[1.2] 7개의 자리가 있고 이웃한 자리들 사이의 거리는 모두 같은 원탁이 있다. 이 원탁에 A, B, C 세 사람이 둘러앉을 때, A가 C보다 B에 더 가까이 앉을 확률을 구하시오. (단, 회전하여 일치하는 것은 같은 것으로 본다.)

[1.3] $\dfrac{\pi}{6} \le \theta < \dfrac{\pi}{2}$일 때, 두 직선 $y = (\tan\theta)x$와 $y = \dfrac{1 + \tan\dfrac{\theta}{2}}{1 - \tan\dfrac{\theta}{2}}(x - \sec\theta)$의 교점을 P라 하자. 원점 O와 점 $Q(\sec\theta, 0)$에 대하여 삼각형 OPQ의 외접원 지름의 최솟값을 구하시오.

178

[문제 2]

[2.1] [그림 1]에서 삼각형 OPQ의 넓이가 최대가 되는 점 Q의 x좌표가 $u+v\sqrt{w}$일 때, uvw의 값을 구하시오. (단, u와 v는 유리수이고, w는 소수인 자연수이다.)

[2.2] [그림 2]에서 곡선 $y=-x^2+4x$와 직선 OT로 둘러싸인 도형의 넓이를 구하시오.

[2.3] [그림 2]에서 $0<x<3$일 때, 곡선 $y=-x^2+4x$위의 점 S와 직선 OT 사이의 거리의 최댓값을 구하시오.

[문제 3]

[3.1] $x\geq 3$일 때, 방정식 $x^2=2^x$을 만족하는 자연수 해를 하나 구하시오.

[3.2] 제시문 (가)를 이용하여, $x\geq 3$일 때 방정식 $x^2=2^x$의 해의 개수를 구하시오. (필요하면 $\ln 2=0.7$로 계산한다.)

[3.3] $\displaystyle\lim_{n\to\infty}\frac{\{n(n+1)\}^s}{n^{r+1}}$의 극한값이 존재하고 0이 아닐 때, 자연수 r과 s의 관계식과 극한값을 구하시오.

[3.4] r과 s가 문항 [3.3]에서 구한 관계식을 만족할 때, 모든 자연수 n에 대하여
$$1^r+2^r+\cdots+n^r=(1+2+\cdots+n)^s$$
을 만족하는 2보다 크거나 같은 자연수 r의 개수를 구하시오.

[문제 1]

[1.1]

n을 4로 나누었을 때의 나머지에 따라 분류해보자.

$n=4k-3$이면 $\sin^2\dfrac{(4k-3)\pi}{4}=\sin^2\dfrac{\pi}{4}=\dfrac{1}{2}$

$n=4k-2$이면 $\sin^2\dfrac{(4k-2)\pi}{4}=\sin^2\dfrac{\pi}{2}=1$

$n=4k-1$이면 $\sin^2\dfrac{(4k-1)\pi}{4}=\sin^2\dfrac{3\pi}{4}=\dfrac{1}{2}$

$n=4k$이면 $\sin^2\dfrac{4k\pi}{4}=\sin^2\pi=0$

이므로

$$\sum_{n=1}^{100}\left(-\frac{2}{3}\right)^n\sin^2\frac{n\pi}{4}=\sum_{k=1}^{25}\left\{\left(-\frac{2}{3}\right)^{4k-3}\frac{1}{2}+\left(-\frac{2}{3}\right)^{4k-2}+\left(-\frac{2}{3}\right)^{4k-1}\frac{1}{2}\right\}$$

$$=\sum_{k=1}^{25}\left(-\frac{27}{16}+\frac{9}{4}-\frac{3}{4}\right)\left(-\frac{2}{3}\right)^{4k}$$

$$=-\frac{3}{16}\sum_{k=1}^{25}\left(\frac{2}{3}\right)^{4k}$$

이다.

따라서

$$\sum_{n=1}^{100}\left(-\frac{2}{3}\right)^n\sin^2\frac{n\pi}{4}=-\frac{3}{16}\frac{\left(\frac{2}{3}\right)^4\left\{1-\left(\frac{2}{3}\right)^{100}\right\}}{1-\left(\frac{2}{3}\right)^4}=\frac{3}{65}(A-1)$$

이다.

[1.2]

A가 앉은 다음 B와 C가 앉는 방법은 아래와 같이 세 가지 경우로 나누어 생각할 수 있다.

  (ⅰ) B가 A의 옆자리에 앉은 경우, B는 6자리 중 2자리에 앉을 수 있고 C는 5자리 중 4자리에 앉을 수 있으므로 확률은
$$\frac{2}{6}\times\frac{4}{5}=\frac{4}{15}$$

  (ⅱ) B가 A와 한 칸 떨어져 앉은 경우, B는 6자리 중 2자리에 앉을 수 있고 C는 5자리 중 2자리에 앉을 수 있으므로 확률은
$$\frac{2}{6}\times\frac{2}{5}=\frac{2}{15}$$

  (ⅲ) B가 A와 두 칸 이상 떨어져 앉은 경우, C는 주어진 조건에 맞도록 앉을 수 없다. 따라서 구하는 확률은 $\frac{4+2}{15}=\frac{2}{5}$ 이다.

[1.3]

직선 $y=(\tan\theta)x$가 x축의 양의 방향과 이루는 각의 크기는 θ이다. 직선
$$y=\frac{1+\tan\frac{\theta}{2}}{1-\tan\frac{\theta}{2}}(x-\sec\theta)=\tan\left(\frac{\theta}{2}+\frac{\pi}{4}\right)(x-\sec\theta)$$

의 기울기가 $\tan\left(\frac{\theta}{2}+\frac{\pi}{4}\right)$이므로 이 직선이 x축의 양의 방향과 이루는 각의 크기는

$\dfrac{\theta}{2}+\dfrac{\pi}{4}$**이다. 여기서** $\theta < \dfrac{\theta}{2}+\dfrac{\pi}{4}$**이므로 두 직선의 교점 P는 제 1사분면에 있고, 삼각형**

OPQ에서 $\angle PQO$**의 외각의 크기는** $\dfrac{\theta}{2}+\dfrac{\pi}{4}$**이다.** $\angle OPQ = \alpha$**로 놓으면** $\theta + \alpha = \dfrac{\pi}{4}+\dfrac{\theta}{2}$**이므**

로 $\alpha = \dfrac{\pi}{4}-\dfrac{\theta}{2}$**이고** $0 < \alpha \leq \dfrac{\pi}{6}$**이다. 사인법칙에 의하여 외접원의 지름** $2R$**은**

$$2R = \frac{\sec\left(\dfrac{\pi}{2}-2\alpha\right)}{\sin\alpha} = \frac{1}{\cos\left(\dfrac{\pi}{2}-2\alpha\right)\sin\alpha} = \frac{1}{\sin(2\alpha)\sin\alpha}$$

이다. 그런데 $\sin(2\alpha) = \sin(\alpha + \alpha) = \sin\alpha\cos\alpha + \cos\alpha\sin\alpha = 2\sin\alpha\cos\alpha$**이므로**

$$2R = \frac{1}{2\sin^2\alpha\cos\alpha} = \frac{1}{2(\cos\alpha - \cos^3\alpha)}$$

이다. 여기서 $\cos\alpha = t$**로 치환하면 지름은**

$$2R = \frac{1}{2(t - t^3)}, \quad \frac{\sqrt{3}}{2} \leq t < 1$$

이므로 $f(t) = t - t^3$**이 최대일 때, 외접원의 지름은 최소가 된다.** $f'(t) = 1 - 3t^2 = 0$**에서**

$t = \pm\dfrac{1}{\sqrt{3}}$**이므로** $\dfrac{\sqrt{3}}{2} \leq t < 1$**일 때** $f'(t) < 0$**이다. 따라서** $\dfrac{\sqrt{3}}{2} \leq t < 1$**에서** $f(t)$**는 감소함**

수이고, 구하는 최솟값은

$$2R = \frac{1}{2\left(\dfrac{\sqrt{3}}{2} - \dfrac{3\sqrt{3}}{8}\right)} = \frac{4\sqrt{3}}{3}$$

이다.

[문제 2]
[2.1]

점 P와 Q의 x**좌표를 각각** $2 - \alpha$**와** $2 + \alpha$**라 하고 삼각형 OPQ의 넓이를** $A(\alpha)$**라고 하면,**
선분 PQ의 길이는 $2 + \alpha - (2 - \alpha) = 2\alpha$**이고 높이는** $b = -(2 - \alpha)^2 + 4(2 - \alpha) = -\alpha^2 + 4$**이므**
로

$$A(\alpha) = \frac{1}{2} \times 2\alpha \times b = \alpha b = \alpha(-\alpha^2 + 4) = -\alpha^3 + 4\alpha$$

이다. $0 < \alpha < 2$**일 때** $A'(\alpha) = -3\alpha^2 + 4 = 0$**에서** $\alpha = \dfrac{2}{3}\sqrt{3}$**이다.** $0 < \alpha < 2$**에서** $A(\alpha)$**의**
증가와 감소를 표로 나타내면 다음과 같다.

α	0	$\cdots$	$\dfrac{2}{3}\sqrt{3}$	$\cdots$	2
$A'(\alpha)$		+	0	−	
$A(\alpha)$		증가		감소	

따라서 $\alpha = \dfrac{2}{3}\sqrt{3}$일 때 $A(\alpha)$가 최대가 되고, 이때 점 Q의 x좌표는

$$2+\alpha = 2+\frac{2}{3}\sqrt{3}$$

이다. 따라서 $uvw = 2 \times \dfrac{2}{3} \times 3 = 4$이다.

(별해)

점 P와 Q의 x좌표를 각각 α와 β라고 하면, α와 β는 $-x^2+4x=b$의 두 근이다. 따라서 $\alpha+\beta=4$이므로 $\alpha=4-\beta$이다. 여기서 $0<\alpha<2$, $2<\beta<4$이다. 삼각형 OPQ의 넓이를 $A(\beta)$라고 하면

$$A(\beta) = \frac{1}{2}(\beta-\alpha)(-\beta^2+4\beta) = -\beta^3+6\beta^2-8\beta$$

이다. $2<\beta<4$일 때 $A'(\beta) = -3\beta^2+12\beta-8=0$에서 $\beta = \dfrac{6+2\sqrt{3}}{3}$이다. $2<\beta<4$에서 $A(\beta)$의 증가와 감소를 표로 나타내면 다음과 같다.

β	2	$\cdots$	$\dfrac{6+2\sqrt{3}}{3}$	$\cdots$	4
$A'(\beta)$		+	0	−	
$A(\beta)$		증가		감소	

따라서 $\beta = 2+\dfrac{2}{3}\sqrt{3}$일 때 최대가 되므로 $uvw = 2 \times \dfrac{2}{3} \times 3 = 4$이다.

[2.2]

점 T의 좌표는 $(3,\ 3)$이고 직선 OT의 방정식은 $y=x$이므로 넓이 S는 다음과 같다.

$$S = \int_0^3 (-x^2+4x-x)dx = \left[-\frac{1}{3}x^3+\frac{3}{2}x^2\right]_0^3 = \frac{9}{2}$$

(별해)

0에서 3까지 곡선 아래의 넓이에서 점 O, 점 T, 점 $(3,\ 0)$으로 이루어진 삼각형의 넓이를 빼면 된다. 따라서 구하는 넓이 S는 다음과 같다.

$$S = \int_0^3 (-x^2+4x)dx - \frac{1}{2}\times3\times3 = \left[-\frac{1}{3}x^3+2x^2\right]_0^3 - \frac{9}{2} = \frac{9}{2}$$

182

[2.3]

점 S에서 접선의 기울기가 1일 때 선분 SH의 길이가 최대이다. $y' = -2x + 4 = 1$로부터 $x = \dfrac{3}{2}$일 때 접선의 기울기가 1이고, 점 S의 좌표는 $\left(\dfrac{3}{2},\ \dfrac{15}{4}\right)$이다. 따라서 이때 선분 SH의 길이는 다음과 같다.

$$\overline{\text{SH}} = \frac{\dfrac{15}{4} - \dfrac{3}{2}}{\sqrt{2}} = \frac{9}{8}\sqrt{2}$$

(별해)

직선 OT의 방정식은 $x - y = 0$이다. 점 S의 좌표를 $\left(t,\ -t^2 + 4t\right)$라 하면 선분 SH의 길이는 다 음과 같다.

$$\overline{\text{SH}} = \frac{\left| t + t^2 - 4t \right|}{\sqrt{2}} = \frac{\left| t^2 - 3t \right|}{\sqrt{2}}$$

그런데 $0 < t < 3$이므로

$$\overline{\text{SH}} = \frac{-t^2 + 3t}{\sqrt{2}} = \frac{1}{\sqrt{2}}\left\{ -\left(t - \frac{3}{2} \right)^2 + \frac{9}{4} \right\}$$

이다. 따라서 선분 SH길이의 최댓값은 $\dfrac{9}{4\sqrt{2}} = \dfrac{9}{8}\sqrt{2}$ 이다.

[문제 3]

[3.1]

$4^2 = 2^4 = 16$이므로 $x = 4$이다.

[3.2]

제시문 (가)를 이용하면 $x^2 = 2^x \Leftrightarrow \ln x^2 = \ln 2^x$이고 $2\ln x = x \ln 2$를 만족한다. 이 때 $f(x) = 2\ln x - x\ln 2,\ x \geq 3$라고 하면,

$$f'(x) = \frac{2}{x} - \ln 2 < 0$$

이므로 $f(x)$는 감소함수이다. 그런데 $f(4) = 0$이므로 $f(x) = 2\ln x - x\ln 2 = 0$의 해는 $x = 4$ 하나뿐이다. 즉, $x^2 = 2^x$의 해는 $x = 4$하나뿐이다.

[3.3]

분자는 $2s$차이고 분모는 $r + 1$ 차이므로 $2s = r + 1$일 때 0이 아닌 극한값이 존재한다. 이 때

$$\lim_{n \to \infty} \frac{\{n(n+1)\}^s}{n^{r+1}} = \lim_{n \to \infty} \frac{\{n(n+1)\}^s}{n^{2s}} = \lim_{n \to \infty} \left(\frac{n+1}{n} \right)^s = 1$$

이다.

[3.4]

주어진 관계식의 우변은 $\left(\dfrac{n(n+1)}{2}\right)^s$ 이다. 양변을 모두 n^{r+1}로 나누면

$$\frac{1}{n}\left\{\left(\frac{1}{n}\right)^r+\left(\frac{2}{n}\right)^r+\cdots+\left(\frac{n}{n}\right)^r\right\}=\frac{1}{2^s}\frac{\{n(n+1)\}^s}{n^{r+1}}$$

이고, 제시문 (나)에 의하여

$$\lim_{n\to\infty}\sum_{k=1}^n\left(\frac{k}{n}\right)^r\frac{1}{n}=\frac{1}{2^s}\lim_{n\to\infty}\frac{\{n(n+1)\}^s}{n^{r+1}}$$

이다. 정적분과 급수 사이의 관계와 문항 [3.3]의 결과를 이용하면

$$\int_0^1 x^r dx=\frac{1}{2^s}$$

이므로 $\dfrac{1}{r+1}=\dfrac{1}{2^s}$ 이고

$$(r+1)^2=2^{2s}=2^{r+1}$$

이다. 문항 [3.2]에 의하여 $r\ge 2$일 때 이 방정식의 해는 $r=3$하나뿐이다.

14. 2021학년도 서울과기대 수시 논술 (3차)

[문제 1]

[1.1] 모든 실수 x에 대하여 $\sin x+A\cos x-2\sin(x+\alpha)=0$이 성립할 때, α와 A의 값을 구하시오. (단, A는 양수, $0\le\alpha<2\pi$)

[1.2] 짝수인 자연수 k에 대하여 다음 극한값을 모두 구하시오.

$$\lim_{n\to\infty}\frac{\left(\dfrac{2}{\log_2 k}\right)^{n+1}}{999+\left(\dfrac{2}{\log_2 k}\right)^n}$$

[1.3] 다음은 어느 대학의 한 학과 400명의 나이와 개인용 컴퓨터 소유여부를 파악한 결과이다.

(가) 나이가 20세 이상인 사람은 150명이다.
(나) 개인용 컴퓨터가 없는 사람은 60명이다.
(다) 나이가 20세 이상이며, 개인용 컴퓨터가 없는 사람은 30명이다.

400명 중 임의로 선택한 한 명이 개인용 컴퓨터를 갖고 있는 사건을 A, 임의로 선택한 한 명이 나이 20세 미만인 사건을 B라 하자. 사건 A와 사건 B가 서로 독립인지 종속인지 판별하시오.

[문제 2]

[2.1] 양수 r에 대하여 다음 정적분의 값을 구하시오.

$$\int_0^1 \left(x^r + x^{\frac{1}{r}}\right) dx$$

[2.2] 집합 $X = \{x | 0 \le x \le 1\}$일 때 함수 $f : X \to X$가 닫힌구간 $[0,\ 1]$에서 연속이고, 열린 구간 $(0,\ 1)$에서 미분가능하며 다음을 만족한다.
    i) $0 < x < 1$인 모든 실수 x에 대하여, $f'(x) > 0$
    ii) $f(0) = 0,\quad f\left(\dfrac{2}{3}\right) = \dfrac{5}{7},\quad f(1) = 1$

곡선 $y = f(x)$와 x축 및 두 직선 $x = \dfrac{2}{3}$, $x = 1$로 둘러싸인 도형의 넓이를 A_1, 곡선 $y = f^{-1}(x)$와 x축 및 두 직선 $x = \dfrac{5}{7}$, $x = 1$로 둘러싸인 도형의 넓이를 A_2라 하자. $A_1 + A_2$를 $\dfrac{q}{p}$로 나타내시오. (단, p와 q는 서로소인 자연수)

[2.3] 음이 아닌 실수 전체의 집합을 정의역과 공역으로 하는 함수 $f(x) = \sqrt{x}\, e^{\sqrt{x}}$에 대하여, 곡선 $y = f^{-1}(x)$와 x축 및 두 직선 $x = e$, $x = 2e^2$으로 둘러싸인 도형의 넓이를 구하시오.

[문제 3]

[3.1] $\dfrac{r}{R}$을 a, b에 대한 식으로 나타내시오.

[3.2] $b = 2R$일 때, t_Q를 ω에 대한 식으로 나타내시오.

[3.3] $b = 2R$이고 $0 \le t \le t_\mathrm{Q}$일 때, 점 A의 y좌표를 R, ω, t에 대한 식으로 나타내시오.

[3.4] $b = 2R$이고 $0 \le t \le t_\mathrm{Q}$일 때, 점 A의 속력을 R, ω, t에 대한 식으로 나타내시오. 이 결과로 얻은 점 A의 속력에 대하여, 점 A가 점 P에서 출발하여 점 Q에 도착한다고 할 때 점 A는 x축에 가까워질수록 속력이 감소하고, x축을 지나 점 Q에 가까워질수록 속력이 증가함을 보이시오.

[문제 1]
[1.1]
  삼각함수의 덧셈공식 $\sin(x + \alpha) = \sin x \cos \alpha + \cos x \sin \alpha$로부터 다음을 만족하는 α와 A 를 구한다.
$$\sin x + A \cos x = 2 \sin x \cos \alpha + 2 \cos x \sin \alpha$$

$x=\dfrac{\pi}{2}$를 대입하면 $1=2\cos\alpha$이므로 $\cos\alpha=\dfrac{1}{2}$이다. $x=0$을 대입하면 $A=2\sin\alpha$이므로

$\sin\alpha=\dfrac{A}{2}$이다. $\sin^2\alpha+\cos^2\alpha=1$, $\dfrac{1}{4}+\dfrac{A^2}{4}=1$이므로 $A=\sqrt{3}$이다. $(A>0)$ **따라서**

$\sin\alpha=\dfrac{\sqrt{3}}{2}$, $\cos\alpha=\dfrac{1}{2}$이다. 즉, $\alpha=\dfrac{\pi}{3}$, $A=\sqrt{3}$이다.

[1.2]

$r=\dfrac{2}{\log_2 k}$라 치환하면, 주어진 문제는 $\displaystyle\lim_{n\to\infty}\dfrac{r^{n+1}}{999+r^n}$의 극한을 구하는 것이다. 문제의

조건에서 $k\ge 2$이므로 $0<r\le 2$임을 알 수 있다. 따라서 양의 실수 r에 대하여 극한값은
다음과 같다.

$$\lim_{n\to\infty}\dfrac{r^{n+1}}{999+r^n}=\begin{cases} 0, & 0<r<1 \\ \dfrac{1}{1000}, & r=1 \\ 2, & r=2 \end{cases}$$

그러므로 짝수인 자연수 k에 대해 극한값은 0, $\dfrac{1}{1000}$, 2이다.

[1.3]
제시문으로부터 다음을 얻을 수 있다.

	개인용 컴퓨터 있음 (A)	개인용 컴퓨터 없음	합
20세 미만(B)	220	30	250
20세 이상	120	30	150
합	340	60	400

$P(A)=\dfrac{340}{400}$, $P(B)=\dfrac{250}{400}$, $P(A\cap B)=\dfrac{220}{400}$이고

$$P(A)P(B)=\dfrac{340}{400}\times\dfrac{250}{400}\ne\dfrac{220}{400}=P(A\cap B)$$

이므로 사건 A와 사건 B는 서로 종속사건이다.

[문제 2]
[2.1]
구하고자 하는 적분값은

$$\int_0^1\left(x^r+x^{\frac{1}{r}}\right)dx=\left[\dfrac{1}{r+1}x^{r+1}+\dfrac{r}{r+1}x^{\frac{r+1}{r}}\right]_0^1=1$$

이다.

 주어진 함수와 역함수가 표현하는 도형들 사이의 관계로부터 구하는 넓이는

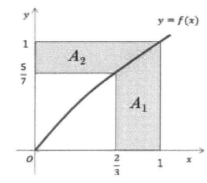

$$A_1 + A_2 = \int_{\frac{2}{3}}^{1} f(x)dx + \int_{\frac{5}{7}}^{1} f^{-1}(x)dx$$

$$= 1 - \frac{2}{3} \times \frac{5}{7} = \frac{11}{21}$$

이다.

[2.3]

 구하는 넓이를 A라 하면

$$A = \int_{e}^{2e^2} f^{-1}(x)dx$$

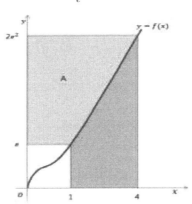

이다. $f'(x) = \dfrac{1}{2\sqrt{x}}e^{\sqrt{x}} + \dfrac{1}{2}e^{\sqrt{x}} > 0$**이므로 $f(x)$는 증가하고 일대일 대응이다. $f(1) = e$이**

고 $f(4) = 2e^2$이다. 함수와 역함수 그래프들의 대칭성으로부터

$$A = \int_{e}^{2e^2} f^{-1}(x)dx = 8e^2 - e - \int_{1}^{4} f(x)dx$$

이다. 부분적분법을 이용하여 적분을 구하면

$$\int_1^4 f(x)dx = \int_1^4 \sqrt{x}\,e^{\sqrt{x}}\,dx = 2xe^{\sqrt{x}}\Big]_1^4 - 2\int_1^4 e^{\sqrt{x}}\,dx$$

$$= 2xe^{\sqrt{x}}\Big]_1^4 - 2\left(\left[2\sqrt{x}\,e^{\sqrt{x}}\right]_1^4 - \int_1^4 \frac{1}{\sqrt{x}}e^{\sqrt{x}}\,dx\right)$$

$$= 4e^2 - 2e$$

이므로

$$A = 8e^2 - e - \left(4e^2 - 2e\right) = 4e^2 + e$$

이다.

[문제 3]

[3.1]

아래의 그림과 같이, 원 M이 선분 OP와 접하는 점을 P_0, 선분 OQ와 접하는 점을 Q_0, 그리고 원 S의 중심을 D라 하자. 삼각형 OCQ_0과 삼각형 ODQ의 닮음을 이용하면, $a:b=r:R$에서 $\dfrac{r}{R}=\dfrac{a}{b}$임을 알 수 있다.

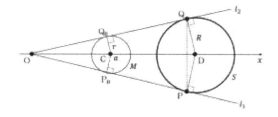

[3.2]

시각 $t=t_Q$일 때, 점 A는 점 Q에 도착한다.

따라서, $\angle QOP = \omega t_Q$이며 $\angle QOD = \dfrac{1}{2}\angle QOP = \dfrac{\omega t_Q}{2}$이다.

삼각형 QOD에서 $\sin(\angle QOD) = \sin\left(\dfrac{\omega t_Q}{2}\right) = \dfrac{\overline{QD}}{\overline{OD}} = \dfrac{R}{b} = \dfrac{1}{2}$이고 점 Q는 제 1사분면에 위치하므로 $\dfrac{\omega t_Q}{2} = \dfrac{\pi}{6}$, 즉 $t_Q = \dfrac{\pi}{3\omega}$이다.

[3.3]

시각 t에서 선분 OC가 x축의 양의 방향과 이루는 각의 크기는 ωt이다. 따라서 시각 t에서의 선분 OA가 x축의 양의 방향과 이루는 각의 크기는 $t=0$일 때의 각의 크기에서 ωt만큼 증가한다. $t=0$에서 선분 OA가 x축의 양의 방향과 이루는 각의 크기는 $\angle POD = -\dfrac{\omega t_Q}{2} = -\dfrac{\pi}{6}$이므로, 시각 t에서 선분 OA가 x축의 양의 방향과 이루는 각의 크기는 $\omega t - \dfrac{\pi}{6}$이다.

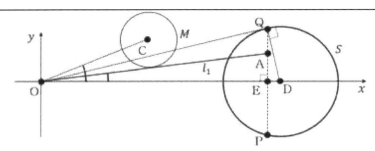

선분 PQ와 x축이 만나는 점을 E라 하면, $0 \le t \le t_Q$일 때 점 A의 y축 좌표는 $\overline{OE}\tan\left(\omega t - \dfrac{\pi}{6}\right)$이다. $\overline{OE}$를 위의 그림에서, 삼각형 OQE와 삼각형 ODQ의 닮음을 이용하면 $\overline{OQ}:\overline{OD}=\overline{OE}:\overline{OQ}$에서 $\overline{OQ}=\sqrt{b^2-R^2}=\sqrt{3}\,R$ 이므로, $\overline{OE}=\dfrac{b^2-R^2}{b}=\dfrac{3R}{2}$이다. 따라서, 시각 $0 \le t \le t_Q$에서 점 A의 y축 좌표는 $\overline{OE}\tan\left(\omega t - \dfrac{\pi}{6}\right)=\dfrac{3R}{2}\tan\left(\omega t - \dfrac{\pi}{6}\right)$이다.

[3.4]
 시각 t에서 점 A가 선분 PQ 위를 움직이는 속력을 $v(t)$라 하면, 문제 [3.3]에서 구한 시각 t에서 점 A의 y축 좌표를 $y(t)$라 할 때,
$$v(t) = \left|\frac{dy(t)}{dt}\right| = \frac{3R\omega}{2}\sec^2\left(\omega t - \frac{\pi}{6}\right)$$
이다.

$\cos\left(\omega t - \dfrac{\pi}{6}\right)$는 cos함수의 성질에 의하여 $0 < \omega t < \dfrac{\pi}{6}$ 구간에서 증가함수이며, $\dfrac{\pi}{6} < \omega t < \dfrac{\pi}{3}$ 구간에서 감소함수이다. 따라서, $\sec^2\left(\omega t - \dfrac{\pi}{6}\right)$는 $0 < t < \dfrac{t_Q}{2}$ 구간에서 감소함수이며, $\dfrac{t_Q}{2} < t < t_Q$ 구간에서는 증가함수이므로, 점 A의 속력은 $0 < t < \dfrac{t_Q}{2}$ 구간인 점 P에서 출발하여 x축에 가까워질수록 감소하며, 시간 $\dfrac{t_Q}{2} < t < t_Q$ 구간인 x축을 지나 점 Q에 가까워질수록 증가함을 알 수 있다.

15. 2021학년도 서울과기대 수시 논술 (4차)

[문제 1]
[1.1] 다음 함수의 최댓값이 11, 최솟값이 2일 때 ab의 값을 구하시오. (단, $a > 0$, $0 \le \theta < 2\pi$)

$$f(\theta) = a\sin^2\theta + a\sin\left(\theta + \frac{\pi}{2}\right) + b + 1$$

[1.2] e보다 큰 상수 a에 대하여 두 곡선 $y = \log_{\ln a} x$, $y = \log_{\frac{1}{\ln a}} x$와 직선 $x = e^2$으로 둘러싸인 도형의 넓이를 구하시오.

[1.3] 빗변의 길이가 10이고 $\angle B$가 직각인 직각삼각형 ABC에서 세 변의 길이의 합을 l_1이라 하고 내접원 둘레의 길이를 l_2라 할 때, $\dfrac{l_2}{l_1}$가 최대가 되는 $\angle A$와 $\angle C$의 크기를 구하시오.

[문제 2]

[2.1] $f(-1)$을 a에 대한 식으로 나타내시오.

[2.2] 다음 정적분의 값을 구하시오.

$$\int_{-1}^{1} f(x)dx$$

[2.3] $f(x)$의 도함수 $f'(x)$를 다음 형태로 나타냈을 때, 상수 A, B, C의 값을 구하시오.

$$f'(0) \times \left[A\{f(x)\}^2 + Bf(x) + C\right]$$

[2.4] $f'(0) = 1$일 때, $f(2)$와 다음 정적분의 값을 모두 a에 대한 식으로 나타내시오.

$$\int_{0}^{2} (1 + 7a^2)\{f(x)\}^2 dx$$

[문제 3]

[3.1] 제시문 (다)의 시행에서 꺼낸 공에 적힌 정수 a, b에 대하여, 좌표평면에서 점 (a, b)를 중심으로 하고 반지름의 길이가 r인 원이 S와 만나지 않는 경우의 수를 l과 r에 대한 식으로 나타내시오.

[3.2] 제시문 (다)의 시행에서 꺼낸 공에 적힌 정수 a, b에 대하여, 좌표평면에서 점 (a, b)를 중심으로 하고 반지름의 길이가 r인 원이 S와 만날 확률을 l과 r에 대한 식으로 나타내시오.

[3.3] $l = 8$이고 $r = 1$이라 하자. 제시문 (다)와 (라)를 잇달아 시행하는 것을 4번 반복할 때, 주머니 C의 구슬이 3개 이하일 확률을 구하시오.

[3.4] $l = 8$이고 $r = 1$이라 하자. 제시문 (다)와 (라)를 잇달아 시행하는 것을 1,200번 반복할 때, 주머니 C의 구슬이 894개 이상 918개 이하일 확률을 아래의 표준정규분포표를 이용하여 구하시오.

z	$P(0 \leq Z \leq z)$
0.4	0.1554
0.6	0.2257
0.8	0.2881
1.0	0.3413
1.2	0.3849

[문제 1]

[1.1]

$\sin^2\theta = 1 - \cos^2\theta$**이고** $\sin\left(\theta + \dfrac{\pi}{2}\right) = \cos\theta$**이므로**

$$f(\theta) = -a\cos^2\theta + a\cos\theta + a + b + 1$$
$$= -a\left(\cos\theta - \dfrac{1}{2}\right)^2 + \dfrac{5a}{4} + b + 1, \quad -1 \leq \cos\theta \leq 1$$

이다. 따라서 $\cos\theta = \dfrac{1}{2}$**일 때 최댓값** $\dfrac{5a}{4} + b + 1 = 11$**을 갖고,** $\cos\theta = -1$**일 때 최솟값** $-a + b + 1 = 2$**를 가지므로** $a = 4$, $b = 5$**이다. 따라서** $ab = 20$**이다.**

[1.2]

로그의 성질에 의하여 $y = \log_{\frac{1}{\ln a}} x = -\log_{\ln a} x$**이고** $\ln a > 1$**이므로 두 곡선은** $x = 1$**에서 만난다. 또** $x > 1$**이면** $\log_{\ln a} x > 0$**이고, 두 곡선은** x**축에 대하여 대칭이다. 따라서 구하는 넓이** A**는**

$$A = 2\int_1^{e^2} \log_{\ln a} x\, dx = \dfrac{2}{\ln(\ln a)}\int_1^{e^2} \ln x\, dx$$

이다. 여기서 부분적분을 이용하면

$$\int_1^{e^2} \ln x\, dx = [x\ln x]_1^{e^2} - \int_1^{e^2} 1\, dx = 2e^2 - (e^2 - 1) = e^2 + 1$$

이다. 따라서 구하는 넓이는

$$A = \dfrac{2(e^2 + 1)}{\ln(\ln a)}$$

이다.

[1.3]

$\theta = \angle C$**라 하면** $\overline{AB} = 10\sin\theta$**이고** $\overline{BC} = 10\cos\theta$**이므로**

$$l_1 = 10(\cos\theta + \sin\theta + 1)$$

이다.

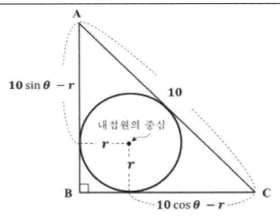

내접원의 반지름을 r**이라 하면** $(10\cos\theta - r) + (10\sin\theta - r) = 10$**이므로**

$$r = 5(\cos\theta + \sin\theta - 1)$$

이고

$$l_2 = 10\pi(\cos\theta + \sin\theta - 1)$$

이다. 따라서

$$\frac{l_2}{l_1} = \frac{\pi(\cos\theta + \sin\theta - 1)}{\cos\theta + \sin\theta + 1}, \quad 0 < \theta < \frac{\pi}{2}$$

이다. 삼각함수의 덧셈정리에 의하여

$$\cos\theta + \sin\theta = \sqrt{2}\left(\cos\theta\sin\frac{\pi}{4} + \sin\theta\cos\frac{\pi}{4}\right) = \sqrt{2}\sin\left(\theta + \frac{\pi}{4}\right)$$

이고 $\dfrac{\pi}{4} < \theta + \dfrac{\pi}{4} < \dfrac{3\pi}{4}$ **이다.** $t = \sin\left(\theta + \dfrac{\pi}{4}\right)$**라 하면**

$$\frac{l_2}{l_1} = \frac{\pi(\sqrt{2}t - 1)}{\sqrt{2}t + 1}, \quad \frac{1}{\sqrt{2}} < t \leq 1$$

이 최대가 되는 때를 구하면 된다. 그런데

$$\frac{l_2}{l_1} = \pi\left(1 - \frac{2}{\sqrt{2}t + 1}\right)$$

이므로 $t = \sin\left(\theta + \dfrac{\pi}{4}\right) = 1$**일 때, 즉,** $\theta = \dfrac{\pi}{4}$**일 때 최대가 되고 이때** $\angle A = \angle C = \dfrac{\pi}{4}$**이다.**

[문제 2]

[2.1]

$x = 1$, $y = -1$**을 제시문 (다)의 식에 대입하면**

$$f(0) = \frac{f(1) + f(-1)}{1 + 7f(1)f(-1)}$$

이다. 제시문 (가)와 (나)의 조건을 이용하면

$$0 = \frac{\alpha + f(-1)}{1 + 7\alpha f(-1)}$$

이므로 $f(-1) = -\alpha$**이다.**

192

[2.2]

$y = -x$라 하면

$$0 = f(0) = f(x+(-x)) = \frac{f(x)+f(-x)}{1+7f(x)f(-x)}$$

이므로 $f(-x) = -f(x)$이고, f는 기함수이다. 따라서 $\displaystyle\int_{-1}^{1} f(x)dx = 0$이다.

[2.3]

제시문 (다)의 조건을 도함수의 정의에 적용하면

$$f'(x) = \lim_{\Delta x \to 0} \frac{f(x+\Delta x)-f(x)}{\Delta x} = \lim_{\Delta x \to 0} \frac{\dfrac{f(x)+f(\Delta x)}{1+7f(x)f(\Delta x)}-f(x)}{\Delta x}$$

이고, 정리하면

$$f'(x) = \lim_{\Delta x \to 0}\left[\frac{f(\Delta x)}{\Delta x} \times \frac{1-7\{f(x)\}^2}{1+7f(x)f(\Delta x)}\right]$$

이다. 그런데 $\displaystyle\lim_{\Delta x \to 0}\frac{f(\Delta x)}{\Delta x} = f'(0)$이고 $f(x)$는 연속이므로 $\displaystyle\lim_{\Delta x \to 0} f(\Delta x) = f(0) = 0$이다. 따라서

$$f'(x) = f'(0) \times \left[-7\{f(x)\}^2 + 1\right]$$

이므로 $A = -7$, $B = 0$, $C = 1$이다.

[2.4]

$x = y = 1$이라 하면

$$f(2) = f(1+1) = \frac{f(1)+f(1)}{1+7f(1)f(1)} = \frac{2\alpha}{1+7\alpha^2}$$

이다. 문항 [2.3]의 결과에서 $\{f(x)\}^2 = \dfrac{1}{7}\{1-f'(x)\}$이므로

$$\begin{aligned}
\int_0^2 (1+7\alpha^2)\{f(x)\}^2 dx &= \frac{1+7\alpha^2}{7}\int_0^2 \{1-f'(x)\}dx \\
&= \frac{1+7\alpha^2}{7}[x-f(x)]_0^2 \\
&= \frac{1+7\alpha^2}{7}\{2-f(2)\}
\end{aligned}$$

이다. 그런데 $f(2) = \dfrac{2\alpha}{1+7\alpha^2}$이므로

$$\int_0^2 (1+7\alpha^2)\{f(x)\}^2 dx = \frac{1+7\alpha^2}{7}\left\{2-\frac{2\alpha}{1+7\alpha^2}\right\} = 2\alpha^2 - \frac{2}{7}\alpha + \frac{2}{7}$$

이다.

[문제 3]

[3.1]

원의 중심 (a, b)가 S로부터 $r+1$이상 떨어져 있으면 원이 S와 만나지 않는다. 이렇게 a와 b를 꺼내는 경우의 수는 $\{l-2(r+1)\}^2$이다.

[3.2]

a와 b를 꺼내는 방법의 수는 l^2이고, 문항 [3.1]에서 원과 S가 만나지 않는 경우의 수는 $\{l-2(r+1)\}^2$이다. 따라서 원과 S가 만날 확률은

$$p = \frac{l^2 - \{l-2(r+1)\}^2}{l^2}$$

이다.

[3.3]

문항 [3.2]에서 구한 확률에 $l=8$과 $r=1$을 대입하면 점 (a, b)를 중심으로 하고 반지름의 길이가 1인 원이 S와 만날 확률은 $p = \frac{3}{4}$이다. 주머니 C의 구슬의 개수를 확률변수 X라 하면, X는 이항분포 $B\left(4, \frac{3}{4}\right)$를 따른다. 따라서 S와 만나는 원의 개수가 3개 이하일 확률은

$$P(X \leq 3) = 1 - P(X = 4) = 1 - {}_4C_4\left(\frac{3}{4}\right)^4 = \frac{175}{256}$$

이다.

[3.4]

주머니 C의 구슬의 개수를 확률변수 X라 하면, X는 $B\left(1200, \frac{3}{4}\right)$을 따르므로 평균과 분산은 각각 다음과 같다.

$$\mu = np = 1200 \times \frac{3}{4} = 900, \quad \sigma^2 = np(1-p) = 1200 \times \frac{3}{4} \times \frac{1}{4} = 225 = 15^2$$

시행의 횟수가 충분히 크므로 이항분포와 정규분포의 관계를 이용하면 X는 정규분포 $N(900, 15^2)$을 따름을 알 수 있다. 따라서

$$P(894 \leq X \leq 918) = P\left(\frac{894-900}{15} \leq \frac{X-900}{15} \leq \frac{918-900}{15}\right)$$

$$= P(-0.4 \leq Z \leq 1.2)$$

이고, 주어진 정규분포표에 의하여

$$P(894 \leq X \leq 918) = 0.1554 + 0.3849 = 0.5403$$

이다.

16. 2021학년도 서울과기대 모의 논술

[문제 1]

[1.1] 아래 그림과 같이 $0 \le x \le \pi$에 대하여 $y = \cos x$, $y = \cos 2x$, $y = \cos^2 x$의 그래프를 한 좌표평면에 그릴 때, 세 곡선 모두에 의해 둘러싸인 도형은 두 개이다. 도형 A의 넓이를 a, 도형 B의 넓이를 b라 할 때 $a-b$의 값을 구하시오.

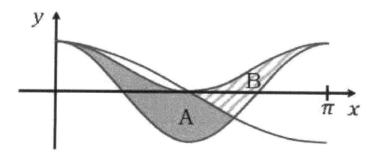

[1.2] 극한 $\displaystyle\lim_{n \to \infty} \dfrac{\ln\{(2n)!\} - n\ln n - \ln(n!)}{n}$의 값을 구하시오.

[1.3] 소고기버거, 치킨버거, 새우버거만을 판매하는 햄버거가게가 있다. 소고기버거와 치킨버거는 원하는 만큼 주문할 수 있지만, 새우버거는 17개까지만 주문이 가능하다고 한다. 이 햄버거가게에서 20개의 햄버거를 구매하는 경우의 수를 구하시오.

[문제 2]

[2.1] $\angle \mathrm{OQA} = \alpha$라고 할 때, $\sin\alpha$의 값을 구하시오.

[2.2] $\angle \mathrm{OAQ} = \beta$라고 할 때, $\cos\beta$의 값을 구하시오.

[2.3] 원 $\mathrm{C_1}$위의 점 $\mathrm{R_1}$과 $\mathrm{R_2}$에서의 접선이 원 $\mathrm{C_2}$와 각각 한 점에서 만난다고 할 때, $\mathrm{R_1}$과 $\mathrm{R_2}$의 x좌표의 합을 구하시오.

[문제 3]

[3.1] 자연수 n에 대하여, $\mathrm{P_{2n}}(x_{2n}, y_{2n})$과 $\mathrm{P_{2n-1}}(x_{2n-1}, y_{2n-1})$을 구하시오.

[3.2] 다항함수 $y = f(x)$의 그래프가 점 $\mathrm{P_0}$, $\mathrm{P_2}$, $\mathrm{P_4}$, ..., $\mathrm{P_{2n}}$, ...을 지날 때, $f(x)$를 구하시오.

[3.3] 다항함수 $y = g(x)$의 그래프가 점 $\mathrm{P_1}$, $\mathrm{P_3}$, $\mathrm{P_5}$, ..., $\mathrm{P_{2n-1}}$, ...을 지날 때, $g(x)$를 구하시오.

[3.4] [3.2]와 [3.3]에서 구한 $y = f(x)$와 $y = g(x)$의 교점 Q를 구하고, 점 $\mathrm{P_n}$이 점 Q로 한없이 가까워짐을 설명하시오.

[문제 1]

[1.1]

세 곡선의 교점은 다음 세 삼각방정식을 풀어 구할 수 있다.

$$\cos x = \cos^2 x \iff x = 0,\ \frac{\pi}{2}$$

$$\cos x = \cos 2x \iff x = 0,\ \frac{2}{3}\pi$$

$$\cos 2x = \cos^2 x \iff x = 0,\ \pi$$

따라서 교점은 $x = 0,\ \dfrac{\pi}{2},\ \dfrac{2}{3}\pi,\ \pi$일 때 생긴다. 도형 A, B의 넓이는 각각

$$a = \int_0^{\pi/2}(\cos^2 x - \cos 2x)dx + \int_{\pi/2}^{2\pi/3}(\cos x - \cos 2x)dx = \frac{\pi}{4} + \frac{3\sqrt{3}}{4} - 1$$

$$b = \int_{\pi/2}^{2\pi/3}(\cos^2 x - \cos x)dx + \int_{2\pi/3}^{\pi}(\cos^2 x - \cos 2x)dx = \frac{\pi}{4} - \frac{3\sqrt{3}}{4} + 1$$

이므로 $a - b = \dfrac{3\sqrt{3} - 4}{2}$ 이다.

[1.2]

로그의 성질을 이용하여 간단히 하면

$$\ln\{(2n)!\} - n\ln n - \ln(n!) = \ln 2n + \ln(2n-1) + \ln(2n-2) + \cdots + \ln(n+1) - n\ln n$$

$$= (\ln 2n - \ln n) + \{\ln(2n-1) - \ln n\} + \cdots + \{\ln(n+1) - \ln n\}$$

$$= \sum_{k=1}^{n} \ln\left(1 + \frac{k}{n}\right)$$

이다. 따라서

$$\lim_{n\to\infty} \frac{\ln\{(2n)!\} - n\ln n - \ln(n!)}{n} = \lim_{n\to\infty} \frac{1}{n}\sum_{k=1}^{n}\ln\left(1 + \frac{k}{n}\right) = \int_1^2 \ln x\, dx$$

이고, 부분적분 하면

$$\int_1^2 \ln x\, dx = [x\ln x - x]_1^2 = 2\ln 2 - 1$$

이다.

[1.3]

새우버거를 k개 구매한 경우 소고기버거와 치킨버거를 구매하는 경우의 수는

$$_2H_{20-k} = {}_{21-k}C_1 = 21 - k \quad (\text{단},\ 0 \le k \le 17)$$

이다. 따라서 햄버거를 주문하는 경우의 수는

$$\sum_{k=0}^{17}(21-k)=\sum_{k=4}^{21}k=\frac{21\times 22}{2}-(1+2+3)=225$$

가지다.

[문제 2]
[2.1]

원 C_2의 방정식은 $(x-4)^2+(y-3)^2=4^2$이므로 중심이 $(4,\ 3)$이고 반지름이 4인 원이다. 원 C_1은 중심이 원점 O이고 반지름이 3인 원이다. 따라서 제시문으로부터 아래와 같이 두 원 C_1, C_2와 점 O, P, A, Q를 나타낼 수 있다.

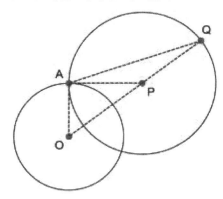

원 C_1의 반지름이 3이므로 $\overline{\mathrm{OA}}=3$이고, 원 C_2의 반지름이 4이므로 $\overline{\mathrm{AP}}=4$이다. 두 점 사이의 거리로부터 $\overline{\mathrm{OP}}=\sqrt{3^2+4^2}=5$이다. 따라서 피타고라스의 정리에 의해 $\triangle OAP$는 직각삼각형이다. 원주각과 중심각 사이의 관계로부터 $\angle \mathrm{APO}=2\angle \mathrm{AQO}=2\alpha$이다. 따라서

$$\cos 2\alpha=\frac{4}{5}$$

이다. 삼각함수의 덧셈공식으로부터

$$\cos(\alpha+\alpha)=\cos^2\alpha-\sin^2\alpha=1-2\sin^2\alpha$$

이므로

$$\sin\alpha=\frac{\sqrt{10}}{10}$$

이다. ($\alpha<\pi$이기 때문에 $\sin\alpha$는 양수이다.)

[2.2]

삼각함수 덧셈공식으로부터 구하는 값은

$$\cos\beta=\cos\left(\frac{\pi}{2}+\alpha\right)=-\sin\alpha=-\frac{\sqrt{10}}{10}$$

이다.

[2.3]

 원 C_1 위의 한 점 (a, b)에서 접선의 방정식은

$$ax + by = 9$$

이다. 이 접선이 원 C_2와 한 점에서 만나므로, 이 직선과 원 C_2의 중심 P사이의 거리는 4이다.

$$\frac{|4a + 3b - 9|}{\sqrt{a^2 + b^2}} = 4$$

점 (a, b)가 원 C_1 위에 있으므로 $a^2 + b^2 = 9$이다. 따라서 점 R_1과 R_2의 좌표를 찾기 위해서는 연립방정식

$$|4a + 3b - 9| = 12, \quad a^2 + b^2 = 9$$

를 만족하는 a와 b를 찾으면 된다. 먼저 $4a + 3b - 9 = 12$인 경우를 살펴보면 $b = 7 - \frac{4}{3}a$이고 이를 $a^2 + b^2 = 9$에 대입하면

$$\frac{25}{9}a^2 - \frac{56}{3}a + 40 = 0$$

이므로 실근이 없다. 이제 $4a + 3b - 9 = -12$인 경우를 살펴보면, $b = -1 - \frac{4}{3}a$이다. 이를 다시 $a^2 + b^2 = 9$에 대입하면

$$\frac{25}{9}a^2 + \frac{8}{3}a - 8 = 0$$

을 얻는다. 이 방정식은 실근을 두 개 가지고, 근과 계수와의 관계로부터 점 R_1과 점 R_2의 x좌표의 합은 $-\frac{24}{25}$이다.

[문제 3]

[3.1]

 처음 다섯 개 점의 좌표를 살펴보면

$$P_0(0, 0), \ P_1(1, 0), \ P_2\left(1, \ \frac{3}{4}\right), \ P_3\left(1 - \frac{1}{2}, \ \frac{3}{4}\right), \ P_4\left(1 - \frac{1}{2}, \ \frac{3}{4} - \frac{3}{8}\right)$$

이므로

$$x_{2n-1} = x_{2n}, \ y_{2n} = y_{2n+1}$$

$$x_{2n} = 1 - \frac{1}{2} + \frac{1}{4} - \cdots + \frac{(-1)^{n-1}}{2^{n-1}} = \frac{1 - (-1/2)^n}{1 - (-1/2)} = \frac{2}{3}\left(1 - \frac{(-1)^n}{2^n}\right)$$

$$y_{2n} = \frac{3}{4} - \frac{3}{8} + \frac{3}{16} - \cdots + (-1)^{n+1}\frac{3}{2^{n+1}} = \frac{3}{4}\left(1 - \frac{1}{2} + \frac{1}{4} - \cdots + \frac{(-1)^{n-1}}{2^{n-1}}\right) = \frac{1}{2}\left(1 - \frac{(-1)^n}{2^n}\right)$$

이다. 따라서

$$P_{2n}\left(\frac{2}{3}\left[1-\frac{(-1)^n}{2^n}\right],\ \frac{1}{2}\left[1-\frac{(-1)^n}{2^n}\right]\right),\ P_{2n-1}\left(\frac{2}{3}\left[1-\frac{(-1)^n}{2^n}\right],\ \frac{1}{2}\left[1-\frac{(-1)^{n-1}}{2^{n-1}}\right]\right)$$

이다.

[3.2]

[3.1]로부터 짝수 번째 점은

$P_{2n}\left(\frac{2}{3}\left[1-\frac{(-1)^n}{2^n}\right],\ \frac{1}{2}\left[1-\frac{(-1)^n}{2^n}\right]\right)$이므로 $t=1-\frac{(-1)^n}{2^n}$으로 두면 $x=\frac{2}{3}t,\ y=\frac{1}{2}t$인

매개변수방정식으로 표현된다. 따라서 모든 자연수 n에 대하여 점 P_{2n}은 직선 $y=\frac{3}{4}x$위

에 있다. 즉, $f(x)=\frac{3}{4}x$이다.

[3.3]

 [3.1]로부터 홀수 번째 점은

$P_{2n-1}\left(\frac{2}{3}\left[1-\frac{(-1)^n}{2^n}\right],\ \frac{1}{2}\left[1-\frac{(-1)^{n-1}}{2^{n-1}}\right]\right)$이므로 $s=\frac{(-1)^n}{2^n}$으로 두면

$x=\frac{2}{3}(1-s),\ y=\frac{1}{2}(1+2s)$로 표현된다. 따라서 모든 자연수 n에 대하여 점 P_{2n-1}은 직

선 $y=-\frac{3}{2}x+\frac{3}{2}$위에 있다. 즉, $g(x)=-\frac{3}{2}x+\frac{3}{2}$이다.

[3.4]

 [3.2]와 [3.3]에서 구한 $y=f(x)$와 $y=g(x)$의 교점 Q의 좌표는 $\left(\frac{2}{3},\ \frac{1}{2}\right)$이다. 제시문

(나)에 의해 점 P_n이 한없이 가까워지는 점의 좌표를 $(a,\ b)$라 할 때,

$$a=\lim_{n\to\infty}x_n=\lim_{n\to\infty}x_{2n},\quad b=\lim_{n\to\infty}y_n=\lim_{n\to\infty}y_{2n}$$

이므로 $(a,\ b)$는 직선 $y=\frac{3}{4}x$위에 있다. 또

$$a=\lim_{n\to\infty}x_n=\lim_{n\to\infty}x_{2n-1},\quad b=\lim_{n\to\infty}y_n=\lim_{n\to\infty}y_{2n-1}$$

이므로 $(a,\ b)$는 직선 $y=-\frac{3}{2}x+\frac{3}{2}$위에 있다. 따라서 $(a,\ b)$는 두 직선의 교점 중 하나

이고, 두 직선의 교점이 유일하므로 점 P_n이 한없이 가까워지는 점은 Q가 된다.